Gruppo editoriale Mauri Spagnol, Milano

Stampato in Italia da Grafica Veneta
Prima ristampa: Novembre 2020
A cura di: *Annalisa Strada*
Progetto grafico: *Due mani non bastano*
Illustrazione di copertina: *Ilaria Faccioli*

Nord-Sud Edizioni

Jules Verne

Il GIRO del MONDO in 80 GIORNI

CHE C'È DA SAPERE IN PIÙ

Ecco i contenuti extra che vanno oltre la storia!

Jules Verne è un grande inventore di storie e in questa avventura immagina una incredibile gara tra realtà e immaginazione.
Per lui tutto è cominciato grazie alle innovazioni tecnologiche del XIX secolo che avevano aperto la possibilità di circumnavigare il mondo rapidamente. Questa prospettiva affascinò Verne e il suo pubblico.
Il libro potrebbe essere stato ispirato dalle azioni di George Francis Train, che compì appunto il giro del mondo nel 1870. Il libro infatti viene pubblicato per la prima volta nel 1873.
Verne non inventa strani mezzi di trasporto, ma precorre di poco i tempi impiegando i mezzi possibili, compresa la nuovissima mongolfiera, e fornendo informazioni geografiche molto precise sui luoghi attraversati: meglio di una vera e propria enciclopedia.

Il racconto ebbe grande successo e ispirò molti viaggiatori che organizzarono vere spedizioni: tutti cercarono di imitare l'impresa immaginaria di Mister Fogg.
Nel 1889 Nellie Bly intraprese un viaggio attorno al mondo in 80 giorni per il suo giornale, il *New York World*. Riuscì a completarlo in 72 giorni, gareggiando contro un'altra donna, Elizabeth Bisland.
Nel 1908 Harry Bensley, per scommessa, intraprese la circumnavigazione del mondo indossando una maschera di ferro.
Nel 1988 Michael Palin intraprese una sfida simile senza usare aeroplani come parte di un diario di viaggio televisivo, intitolato *Around the World in Eighty Days*.
Dal 1993 si tiene il Jules Verne Trophy: le navi partecipanti devono

circumnavigare il mondo senza fermarsi e senza assistenza esterna nel più breve tempo possibile.

I detentori del record sono finora stati:
2002: Orange, 64 giorni
1997: Sport Elec, 71 giorni
1994: ENZA, 74 giorni
1993: Commodore Explorer, 79 giorni
Nel 1973 venne addirittura pubblicato *Il diario segreto di Phileas Fogg* (*The Other Log of Phileas Fogg*), dello scrittore di fantascienza Philip José Farmer, in cui si scopre che in realtà Phileas Fogg è un agente segreto in lotta contro nemici cosmici che minacciano di invadere la Terra.

Il libro è stato adattato diverse volte per il cinema e la televisione.
Nel 1919 uscì in Germania *Die Reise um die Erde in 80 Tagen*: una divertente parodia muta in bianco e nero, diretta da Richard Oswald che utilizzò soltanto località tedesche per rappresentare i luoghi del viaggio internazionale; parte dello scherzo del film è che Fogg si sta ovviamente spostando tra varie località di Berlino. Non sono sopravvissute copie della pellicola.
Nel 1956 uscì il più celebre film fino a oggi girato partendo dal romanzo: *Il giro del mondo in ottanta giorni* (*Around the World in Eighty Days*): regia di Michael Anderson, prodotto da Mike Todd, con David Niven nel ruolo di Phileas Fogg e Cantinflas in quello di Passepartout. Molti attori famosi interpreratono ruoli cameo. Il film vinse cinque Oscar, su un totale di otto nomination.
Nel 1963 uscì *The Three Stooges Go Around the World in a Daze*, 'I tre marmittoni' (Moe, Larry, Curly Joe), una parodia del romanzo.
Nel 2004 ecco *Around the World in 80 Days*: prodotto dalla Walt Disney Company, regia di Frank Coraci, con Jackie Chan nella parte di Passepartout e Steve Coogan in quella di Fogg. Questa versione è basata molto liberamente sul romanzo di Verne: Passepartout diventa l'eroe della storia e il vero ladro della Banca.

Il personaggio di Fogg è un geniale inventore distratto che scommette con un suo rivale di poter viaggiare intorno al mondo con i moderni (per l'epoca) mezzi di trasporto. Come per la versione del 1919 questo film viene girato a Berlino, ma tenta di nasconderlo: la cattedrale tedesca viene utilizzata come Banca d'Inghilterra e diverse altre location cittadine vengono usate al posto della Londra storica.
In tv nel 1989 venne trasmesso *Il giro del mondo in ottanta giorni* (*Around the World in Eighty Days*): una miniserie televisiva in due parti con Pierce Brosnan nella parte di Fogg, Eric Idle in quella di Passepartout, Peter Ustinov in quella di Fix.
Gli eroi seguono un percorso lievemente differente da quello del libro e incontrano diverse figure storiche non menzionate nel libro, come Sarah Bernhardt, Louis Pasteur, Jesse James e la Regina Vittoria.

Anche la produzione di cartoni animati fu vasta. Dal 1971: *Around the World in 79 Days* era un segmento del programma contenitore a cartoni The Cattanooga Cats della Hanna & Barbera Productions in cui il figlio di Phileas Fogg si impegna per scommessa in un viaggio intorno al mondo di 79 giorni.
Nel 1983, coprodotta dello studio spagnolo BRB Internacional in collaborazione con la Nippon Animation, fu prodotta una serie in 26 episodi che rappresenta i personaggi come animali parlanti e, pur prendendosi alcune libertà con la storia originale, rimane fedele alla sua idea base. Il cartone ottenne un certo seguito in Germania e in Inghilterra.
Una seconda serie di 30 episodi, prodotta nel 1993, riprende i personaggi della prima serie e si ispira ad altri due romanzi di Verne, *Viaggio al centro della Terra* e *Ventimila leghe sotto i mari*.
Infine nel 2000 venne prodotto *Tweety's High Flying Adventure*, un cartone animato della Warner Bros in cui compaiono personaggi dei Looney Tunes. Si prende grandi libertà con la storia originale, ma l'idea centrale è la medesima.

1 Phileas Fogg e Passepartout si incontrano e si accettano uno come padrone e l'altro come domestico

Nel 1872, la casa al numero 7 di Saville Row, a Burlington Gardens (la stessa casa in cui nel 1814 era morto Sheridan), era abitata da Sir Phileas Fogg, uno tra i soci più interessanti del Reform Club di Londra, e questo nonostante stesse attento a non fare niente che potesse attirare l'attenzione su di lui.
Phileas Fogg, che prendeva la residenza di uno dei più grandi autori che sono l'onore dell'Inghilterra, era ammantato di mistero: di lui non si sapeva nulla, eccetto che sembrava un perfetto gentiluomo e pure uno fra i più sussiegosi signori dell'alta società inglese.
In molti pensavano che somigliasse a Lord Byron, il grande poeta, almeno per la conformazione della testa, visto che non potevano essere messi a confronto sui piedi o su altre parti del corpo. Ma era un Byron con fiorenti baffoni e lunghe basette, un Byron impassibile, che avrebbe potuto campare mille anni senza mai invecchiare.
Per quanto fosse sicuramente inglese, forse Phileas Fogg non era esattamente londinese. Non si era mai fatto vedere né alla Borsa né alla Banca e nemmeno in qualche altro ufficio della finanza che rende famosa la City di Londra.
Al porto cittadino, nessuna darsena aveva mai accolto una nave che avesse come armatore Phileas Fogg. Questo gentiluomo non sedeva in nessun consiglio di amministrazione. Il suo nome non era mai stato pronunciato in tribunale, né alla sinagoga né in chiesa e nemmeno a Lincoln's Inn o a Gray's Inn. Non aveva mai esercitato né alla Corte del Cancelliere, né al Banco della Regina né all'Echiquier né alla Corte ecclesiastica. Non era industriale e neppure un negoziante; non era né commerciante né agricoltore. Non era membro né dell'Istituzione Reale della Gran Bretagna, né dell'Istituto di Londra, né dell'Associazione degli Artigiani, né dell'Istituto Russell, né dell'Istituto Letterario dell'Ovest, né dell'Accademia del Diritto e neppure di quell'Associazione delle Arti e delle Scienze riunite presie-

duta da Sua Altezza Reale in persona. Insomma, non apparteneva a nessuna delle prestigiose società che si trovano in gran numero nella capitale inglese, a partire dalla Società dell'Armonica per finire con la Società Entomologica, nata con lo scopo principale di eliminare gli insetti dannosi. Phileas Fogg era, semplicemente e solamente, membro del Reform Club. Tutto qui.

Può sembrare strano che un signore tanto misterioso fosse stato accettato tra gli appartenenti a quel circolo esclusivo. In effetti, bisogna considerare che vi era stato ammesso grazie alla raccomandazione dei Fratelli Baring, padroni della banca in cui aveva aperto un consistente conto, era sempre pingue anche se con una certa frequenza Phileas Fogg staccava assegni che i banchieri Baring pagavano puntualmente. La somma consistente di cui disponeva e i conti che pagava puntualmente, come è facile immaginare, gli avevano guadagnato una profonda stima da parte di tutti.

Quindi Phileas Fogg era ricco? Di sicuro. Ma come si era arricchito? A questa domanda nemmeno i meglio informati trovavano una risposta, e il signor Fogg era proprio l'ultimo al quale si sarebbero potuti chiedere chiarimenti.

A parte questo, non si mostrava minimamente generoso; ma non era neanche avaro. Ogni volta che gli veniva chiesto del denaro per una ragione nobile e giusta, lo dava senza vantarsene o addirittura chiedendo di restare anonimo. Nessuno era meno disposto a parlare di se stesso di quel gentleman. Anzi, in generale parlava solo il minimo indispensabile e questo fatto accresceva il mistero attorno a lui. Eppure non nascondeva nulla: qualsiasi cosa facesse era alla luce del sole e la sua vita era talmente precisa e monotona che le malelingue, insoddisfatte, fantasticavano alla ricerca di spiegazioni nascoste.

Sir Phileas Fogg era forse stato un viaggiatore? Era legittimo supporlo, poiché nessuno meglio di lui padroneggiava le carte geografiche di ogni angolo del mondo. Non esisteva paese, per quanto lontano, che non conoscesse alla perfezione. Capitava che, con poche parole precise, correggesse le mille infondate dicerie che circolavano al Club riguardo a viaggiatori che si pensavano morti o dispersi. Con previsione infallibile elencava che cosa poteva essere accaduto e finiva sempre che gli avvenimenti gli davano ragione, tanto che si cominciò a pensare che fosse dotato di una specie di sesto senso. Si concludeva, allora, che Sir Phileas Fogg era un uomo che aveva viaggiato per il mondo intero, almeno con la mente. Era altrettanto certo anche che ormai da molti anni non lasciava Londra.

Le persone che avevano il privilegio di conoscerlo da vicino assicuravano che nessuno poteva sostenere di aver visto Phileas Fogg in un posto diverso dalla strada diritta che percorreva ogni giorno per andare da casa sua al Club.

I suoi unici passatempi erano leggere i giornali e giocare al whist, il gioco di carte preferito dagli inglesi. Il suo nome significa letteralmente "silenzio" ed era dunque adattissimo al carattere di Phileas Fogg! Infatti, vinceva spesso, ma i soldi che guadagnava al gioco non rimanevano mai nelle sue tasche: andavano ad aggiungersi ai molti che già dava in beneficenza.

Del resto, giocava solo ed esclusivamente per il piacere di farlo, mai per vincere. Ciascuna partita era per lui una sfida, una battaglia contro le difficoltà, una lotta senza spostamento, senza azione, priva di fatica e quindi perfettamente in sintonia con il suo temperamento.

Per quanto si sapesse, non aveva né moglie né figli (come può capitare anche alle persone migliori), né parenti né amici (cosa molto più rara, in effetti).

Phileas Fogg viveva in solitudine nella sua casa di Saville Row, il cui interno era un mistero per chiunque. Con sé teneva un solo domestico, al quale toccava sbrigare i pochi servizi necessari, poiché il signore pranzava e cenava al Club, a ore cronometricamente fisse, sempre nella medesima sala, alla stessa tavola, senza colleghi e senza mai invitare un ospite. Tornava a casa a mezzanotte in punto per coricarsi, senza mai approfittare delle confortevoli stanze che il Club metteva a disposizione dei soci.

Sulle ventiquattr'ore della giornata, dieci le passava a casa propria, per dormire e per prendersi cura di sé. Se passeggiava, lo faceva al Club e camminava con passo perfettamente regolare e costante nel

salone d'ingresso dal pavimento intarsiato oppure sulla galleria circolare sorretta da venti colonne di porfido rosso e sormontata da una volta di cristalli azzurri.
La sua tavola veniva imbandita con i cibi squisiti che provenivano dalla cucina, dalla dispensa, dalla latteria o dalla pescheria del Club. I camerieri, elegantissimi nei loro abiti neri, camminavano silenziosi con le loro scarpe felpate e gli servivano piatti di porcellana rarissima che appoggiavano sulle stupende tovaglie di tela di Sassonia; nei bicchieri della più fine cristalleria gli porgevano lo sherry, il porto, il chiaretto – sempre ed esclusivamente delle sue marche preferite corretti con cannella, capelvenere e cinnamomo, e il ghiaccio che li rinfrescava, infine, era fatto arrivare (senza badare a spese) dai laghi d'America.
Se vivere in queste condizioni vuol dire essere originali, bisogna ammettere che l'originalità non è affatto male!
La casa di Saville Row, senza essere eccessiva, era dotata di ogni possibile comodità. Del resto, viste le puntualissime abitudini del padrone di casa, il servizio si riduceva a ben poco. Ma Sir Phileas Fogg esigeva dal suo unico servitore un'esattezza straordinaria.
Quel giorno, il 2 ottobre, Phileas Fogg aveva licenziato il suo maggiordomo James Forster poiché gli aveva portato l'acqua per radersi riscaldata a ottantaquattro gradi Fahrenheit anziché a ottantasei. Una colpa che non poteva perdonare. E ora il gentiluomo aspettava il successore di James, che doveva presentarsi tra le undici e le undici e mezzo.
Phileas Fogg, sistemato compostamente nella bella poltrona del suo salotto, con i piedi uniti come quelli di un soldato alla parata, le mani appoggiate sulle ginocchia, il busto eretto, la testa alta, guardava avanzare le lancette della pendola, un orologio complicatissimo che indicava le ore, i minuti, i secondi, i giorni, i mesi e anche l'anno. Allo scoccare delle undici e mezzo il signor Fogg doveva, come era sua abitudine, lasciare la casa e recarsi al Club.
Mancavano solo dieci minuti. In quel momento qualcuno bussò alla porta del salotto. James Forster, il servitore che era stato licenziato, apparve. Annunciò: "Il nuovo domestico".
Un giovanotto di circa trent'anni entrò e salutò inchinandosi.

"Siete francese e vi chiamate John?" gli chiese Phileas Fogg.

"Jean, se vi piace, signore" rispose il nuovo venuto. "Jean Passepartout: soprannome che mi è stato dato grazie alla mia naturale abilità nel togliermi dai guai. Penso di poter dire che sono un uomo onesto ma, per essere del tutto sincero, confesso che ho fatto parecchi mestieri. Sono stato cantante girovago, poi cavallerizzo in un circo, ho imitato Léotard nei voli acrobatici e Blondin nel ballare sulla corda; poi, per non sprecare nessuno dei miei talenti, sono diventato professore di ginnastica e, infine, sergente dei pompieri di Parigi. Nel mio stato di servizio vanto diversi incendi notevoli. Già da cinque anni, però, ho lasciato la Francia e faccio il cameriere in Inghilterra, per il piacere di gustare la vita di famiglia. Siccome mi trovavo senza lavoro e avendo saputo che il signor Phileas Fogg è l'uomo più preciso e più sedentario di tutto il Regno Unito, mi presento alla vostra casa, speranzoso di viverci tranquillo e di dimenticare persino il mio soprannome."

"Passepartout mi piace" rispose il gentiluomo. "Mi siete stato raccomandato e ho raccolto buone informazioni sul suo conto. Sapete quali sono le condizioni per rimanere al mio servizio?"

"Sì, signore."

"Bene. Che ora segna il vostro orologio?"

"Le undici e ventidue minuti" rispose Passepartout, leggendo un gigantesco orologio d'argento che aveva estratto da un profondo taschino.

"Quell'orologio è indietro" sentenziò Phileas Fogg.

"Mi scusi se mi permetto, ma è impossibile!"

"Il vostro orologio è indietro di quattro minuti. Ma non è grave: basta sapere di quanto sbaglia. Dunque da questo momento, ore undici e ventisei minuti e mezzo del mattino, di questo mercoledì 2 ottobre 1872, voi siete al mio servizio."

Detto questo, senza aggiungere altro, Phileas Fogg si alzò, prese il cappello con la mano sinistra, se lo calò sulla testa con un movimento rigido come se fosse fatto da un braccio meccanico e scomparve.Passepartout sentì il portone chiudersi una prima volta: era il suo nuovo padrone che usciva; poi una seconda volta: era James Forster, il suo predecessore, che se ne andava. Rimase solo nella casa di Saville Row.

2 Passepartout crede di avere trovato la sistemazione ideale

“Parola mia” commentò tra sé e sé Passepartout, un po’ sbalordito dal colloquio, “questo Phileas Fogg sembra proprio una delle statue di Madame Tussaud.”

Le statue di Madame Tussaud sono ritratti di cera di personaggi famosi, e a cui davvero manca solo la parola, custoditi in un famoso museo di Londra e che in moltissimi vanno ad ammirare.

Nel corso del breve incontro, Passepartout aveva analizzato minuziosamente il suo futuro padrone. Aveva ancora in mente l’immagine di quel gentiluomo sulla quarantina, dal corpo elegante e dal volto bellissimo, con lo sguardo chiaro, la fronte alta e fiera, che rivelava l’apprezzabile inclinazione a fare i fatti e a non sprecare parole. Passepartout, che era un attento fisionomista, aveva studiato anche la posizione e i movimenti dei suoi piedi e delle sue mani e ne aveva concluso che Phileas Fogg era un individuo molto equilibrato, attento e puntuale come un cronometro: insomma, la precisione fatta persona. Non si sbagliava. Phileas Fogg era uno di quegli uomini meticolosamente precisi, che non hanno mai fretta ma sono sempre pronti al momento giusto, molto attenti a non sprecare mai né chiacchiere né gesti. Era sempre attento persino alla scelta della via più corta, per non sprecare nemmeno un passo più del necessario. Non perdeva tempo a guardare per aria e non si concedeva un solo gesto di troppo. Sembrava persino che le emozioni non lo riguardassero e non dava mai segno di commozione o di turbamento: era semplicemente impassibile. Anche se niente mai avrebbe potuto mettergli fretta, aveva il pregio di arrivare sempre in tempo. Viveva da solo, senza coltivare rapporti, e questo per un unico motivo: avere contatti con qualcuno comporta attriti e, siccome gli attriti fanno perdere tempo, evitarli del tutto è la scelta più opportuna.

Jean, detto Passepartout, vero parigino di Parigi, da ormai cinque anni viveva in Inghilterra e a Londra lavorava come domestico, ma aveva inutilmente cercato una casa dove mettersi a servizio.

Non aveva proprio niente in comune con quei tipi, molto comuni tra i suoi patrioti e tra la gente del suo rango, che sono cialtroni e se ne vanno in giro a petto in fuori, viso alto e occhio spavaldo. Tutt'altro! Passepartout era un bravo ragazzo, dai tratti gentili, con le labbra un po' sporgenti, sempre pronte a gustare una leccornia o a pronunciare una parola gentile; il suo atteggiamento era disponibile e buono, e aveva una bella testa rotonda e solida come se ne vorrebbero vedere sulle spalle degli amici. I suoi occhi erano azzurri, la carnagione rosea, la faccia tonda e paffuta al punto che se abbassava gli occhi poteva vedersi la curva degli zigomi; aveva un torace imponente e una possente muscolatura. Aveva una forza straordinaria, che aveva sviluppato e manteneva con esercizi quotidiani. I suoi capelli castani erano sempre arruffati. Si dice che gli scultori dell'antichità conoscessero diciotto modi per acconciare la capigliatura della dea Minerva, ma Passepartout non ne conosceva che uno per riordinare la propria: tre colpi di pettine, e via.

Non era facile prevedere quanto il carattere espansivo di questo giovanotto avrebbe potuto essere in armonia con l'indole del signor Phileas Fogg. Restava, poi, una domanda cruciale: sarebbe riuscito Passepartout a essere l'impeccabile domestico che Sir Phileas Fogg tanto desiderava? Solo il tempo avrebbe trovato una risposta.

Di sicuro, Passepartout aspirava finalmente – dopo una gioventù passata a vagabondare – al riposo. Siccome aveva sentito molto parlare della metodicità e della flemma dei signori inglesi, venire a cercare fortuna in Inghilterra gli era sembrata la scelta migliore. In realtà, finora di fortuna non ne aveva vista molta. Non era riuscito a trovare un posto fisso anche se era già passato da dieci diverse case. In ognuna, però, aveva trovato un padrone con qualcosa di strano: uno era bislacco, un altro lunatico, poi era capitato a servizio di un cacciatore di avventure e subito dopo di un giramondo curioso. E non era questo che Passepartout cercava!

Il suo ultimo padrone, il giovane lord Longsferry, che era un membro del Parlamento, di solito rientrava a casa sostenuto a spalla da qualche guardia notturna, dopo che aveva passato la notte a mangiare ostriche e bere birra nelle losche taverne di Hay Market. Passepartout, che riteneva tutto questo assolutamente inopportuno per la reputazione e la dignità di un lord, azzardò qualche osservazione e la sua premura trovò una pessima accoglienza. A quel punto, decise di lasciare anche il suo decimo padrone e abbandonò pure quella casa. Contemporaneamente, venne a sapere che il signor Phileas Fogg era alla ricerca di un domestico. Si affrettò a raccogliere informazioni e concluse che un uomo dalla vita così regolare, che non dormiva mai fuori casa, non amava viaggiare, non lasciava mai Londra, era esattamente il padrone che desiderava. Passepartout, dunque, si presentò e fu accolto e assunto esattamente come è stato raccontato.

Mentre i rintocchi scandivano le undici e mezzo, Passepartout era solo nella casa di Saville Row. Cominciò subito a ispezionarla e la visitò dalle cantine alla soffitta. Era pulita, ordinata, severa, ben organizzata in ogni aspetto e gli piacque: "Mi ricorda un bel guscio di lumaca: ma un guscio illuminato e riscaldato a gas!"

Tutti gli impianti di illuminazione e riscaldamento, infatti, erano alimentati con idrogeno carburato.

Fu facile per Passepartout trovare, al secondo piano, la camera che gli era stata destinata. E la apprezzò molto. Era in comunicazione con tutte le stanze degli altri piani grazie a un sistema di campanelli elettrici e tubi acustici. Sul caminetto si trovava una pendola elettrica direttamente collegata con la pendola della camera da letto del signor Fogg: i due orologi segnavano il medesimo minuto secondo.

"Mi è andata di lusso!" disse Passepartout fra sé e sé.

Notò che nella sua camera, sopra la pendola, era stata affissa una tabellina: era il programma del servizio giornaliero. Era dettagliatissima: alle 8, sveglia per il signor Fogg; alle 8 e 23, tè e crostini; alle 9 e 37, l'acqua per la barba; alle 9 e 40, la toeletta; e così via fino alle 11 e 30, ora in cui il signor Fogg usciva di casa per recarsi a pranzare al Club. Anche dalle 11 e 30 fino alla mezzanotte, ora alla quale il metodico gentiluomo andava a dormire, tutto era notato, fissato, previsto. Passepartout rilesse con soddisfazione il programma e se lo imparò a memoria. Andò poi a sbirciare il guardaroba del padrone di casa. Era ben fornito e meravigliosamente ordinato. Ogni paio di pantaloni, ogni giacca o panciotto portava un numero, riportato su un registro di entrata e di uscita che indicava la data in cui, a seconda della stagione, i diversi abiti dovevano essere indossati. La stessa organizzazione era prevista per le calzature. Insomma, quella casa di Saville Row – molto diversamente da quanto avveniva all'epoca dell'illustre ma dissoluto Sheridan – era il tempio dell'ordine e tutto il suo arredamento indicava agiatezza economica e signorilità di spirito. In casa non c'era una biblioteca, non c'era proprio nessun libro: sarebbe stato inutile per il signor Fogg, visto che il Reform Club vantava ben due biblioteche, una dedicata alla letteratura e l'altra al diritto e alla politica.

Nella camera da letto del signor Fogg era sistemata una cassaforte abbastanza grande, costruita in modo talmente ingegnoso che era inaccessibile ai ladri e inattaccabile dal fuoco.

In tutta casa non c'era traccia di armi e nemmeno di attrezzatura per la caccia. Tutto dimostrava che le abitudini di chi vi abitava erano più che pacifiche.

Conclusa l'ispezione, Passepartout si soffregò le mani soddisfatto. Sulla sua faccia paffuta si allargò un sorriso e, allegro, ripeté: "Mi è andata proprio di lusso! Ho trovato esattamente quel che cercavo. C'intenderemo a perfezione, il signor Fogg e io! Un uomo metodico e che ama la casa: una vera macchina. Ebbene sì: sono felicissimo di servire una macchina!"

3 Viene intavolata una conversazione che costerà cara a Phileas Fogg

Phileas Fogg aveva lasciato la sua abitazione di Saville Row alle 11 e 30 in punto; e, dopo aver posto cinquecentosettantacinque volte il piede destro davanti a quello sinistro, e cinquecentosettantasei volte il piede sinistro davanti a quello destro, giunse in Pall Mall allo splendido palazzo del Reform Club, la cui costruzione era costata ben tre milioni. Andò senza esitazioni nella sala da pranzo, le cui finestre si affacciavano su un bel giardino e lasciavano intravedere gli alberi colorati dal sole dell'autunno.

Phileas Fogg si sedette alla solita tavola già apparecchiata per lui. Il suo pranzo consisteva in un antipasto, un pesce lessato e messo in salsa raffinatissima, un po' di roast beef cotto a puntino e accompagnato con funghi, un pasticcio farcito con lamponi verdi e cime di rapontico, una porzione di finissimo formaggio; il tutto accompagnato da qualche tazza di un tè ottenuto con l'infuso delle foglie raccolte appositamente per la riserva speciale del Club.

Alle 12 e 47, puntualissimo, si alzò e passò nel salone alle cui pareti pendevano dipinti racchiusi in artistiche cornici. Lì, un cameriere gli porse una copia del *Times* che nessuno aveva ancora sfogliato. Fogg lo dispiegò e iniziò a tagliare i margini ancora sigillati delle pagine. Lo fece con una scioltezza e una sicurezza che dicevano chiaramente da quanto tempo compisse quella delicata operazione. La lettura del *Times* assorbì la sua attenzione fino alle 15 e 45; e la lettura dello *Standard*, al quale egli passò subito dopo, durò fino all'ora della cena.

Il pasto della sera si svolse nelle identiche condizioni del pranzo, solo con l'aggiunta della specialissima royal british sauce.

Alle 17 e 40 Sir Phileas Fogg tornò nel salone e si raccolse nella lettura del *Morning Chronicle*.

Intanto, il salone del Club andava riempiendosi di altri soci. Molti frequentatori abituali entravano uno dopo l'altro e avvicinavano le poltrone al caminetto per scaldarsi al calduccio del carbone ardente. Erano i compagni abituali di Phileas Fogg e, come lui, ostinati giocatori di whist. Avevano in comune anche il fatto di essere tutti molto ricchi. Erano pezzi grossi dell'industria e gente che contava nella finanza: l'ingegnere Andrew Stuart, i banchieri John Sullivan e Samuel Fallentin, il signor Thomas Flanagan, proprietario delle più grandi fabbriche di birra di tutta Londra, e Walter Ralph, uno degli amministratori della Banca d'Inghilterra.

"Ebbene, signor Ralph" chiese Thomas Flanagan, "avete novità sul furto?"

"Eh!" intervenne Andrew Stuart. "Anche questa volta, la Banca d'Inghilterra può dire addio al suo denaro!"

"Io, invece" dichiarò Walter Ralph, "conto che metteremo le grinfie addosso al ladro. I migliori agenti di polizia sono stati mandati in America e in Europa, in tutti i più importanti porti turistici e commerciali; e sarà ben difficile che quel brav'uomo del ladro sfugga alla loro caccia."

"Allora si sa che faccia avesse questo ladro?" si incuriosì Andrew Stuart.

"Innanzitutto, non è un ladro" precisò gravemente Walter Ralph.

«Ma come?! Non si chiama ladro chi ha sottratto cinquantacinquemila sterline in banconote?"

"No" insistette Ralph.

"Vogliamo quindi credere che sia... un industriale?" ironizzò John Sullivan.

"Il *Morning Chronicle* assicura che si tratta di un gentiluomo."

L'ultima frase era stata pronunciata da Phileas Fogg, che solo in quel momento emergeva dal mare di carta che gli si era ammassato intorno. Allo stesso tempo Phileas Fogg salutò i colleghi del Club con un cenno, e tutti gli restituirono il saluto.

L'episodio di cui stavano parlando quella sera al Reform Club, e che occupava parecchio spazio su tutti i quotidiani d'Inghilterra, era accaduto tre giorni prima, il 29 settembre. Un rotolo di banconote, per un totale di ben cinquantacinquemila sterline, era sparito in pieno giorno dal tavolo del capo cassiere della Banca d'Inghilterra, nella sede centrale di Londra.

A quelli che si meravigliavano che un simile furto fosse stato possibile con tanta facilità, il viceamministratore generale Walter Ralph rispondeva: "Che diamine! Non si possono avere gli occhi dappertutto! In quel momento il cassiere era impegnato a registrare un incasso di tre scellini e sei pence".

Ma non era tutto qui: un'altra circostanza contribuiva a rendere ancora meno spiegabile la dinamica del furto. Infatti, uno dei più nobili principi a cui s'ispira l'amministrazione centrale della Banca d'Inghilterra è il rispetto della dignità dei clienti. Non c'è una sola guardia, non un piantone e nemmeno un cancello. L'oro, l'argento, le banconote erano appoggiati sui tavoli e quindi esposti o, per chi vuol pensare male, a disposizione di chiunque entrasse o uscisse. Ma, sempre secondo l'amministrazione centrale della Banca d'Inghilterra, non è legittimo mettere in dubbio l'onestà di un qualsiasi passante.

Un fatto di cronaca che aveva avuto circa la stessa dinamica del furto. Un giorno, un tizio che si trovava in una sala della Banca, fu incuriosito da un lingotto d'oro del peso di sette o otto libbre che era esposto sul tavolo del cassiere. Raccolse il lingotto, lo esaminò e lo porse al suo vicino, questi poi lo passò a un altro; in questo modo l'oro, passando di mano in mano, arrivò in fondo al corridoio e non tornò indietro se non mezz'ora più tardi, senza che il cassiere avesse dato segno di preoccupazione o anche solo alzato la testa. Ma il 29 settembre le cose non erano andate esattamente così: il fascio delle banconote non aveva fatto ritorno. E quando, alle 17 in punto, il sontuoso orologio collocato all'ingresso degli uffici aveva suonato la chiusura, la Banca d'Inghilterra aveva dovuto registrare alla voce 'perdite' l'incredibile somma di cinquantacinquemila sterline.

Il furto fu regolarmente denunciato e, appena furono compiute tutte le pratiche del caso, agenti investigatori scelti fra i più abili erano stati sguinzagliati nei principali porti d'Europa e d'America: a Liverpool, a Glasgow, a Le Havre, a Suez, a Brindisi, a New York e così via.

Il premio per chi fosse riuscito a catturare il ladro fu stabilito in duemila sterline, più il cinque per cento della somma recuperata. Intanto che si raccoglievano indizi e si confrontavano le testimonianze, i poliziotti avevano il compito di passare in rassegna tutti i viaggiatori in arrivo e in partenza.

Ora, stando appunto a quanto diceva il *Morning Chronicle*, c'era ragione di credere che l'autore del furto non appartenesse ad alcuna delle società di ladri d'Inghilterra. Durante la famigerata giornata del 29 settembre, un gentiluomo ben vestito, dai modi educati, con un aspetto più che distinto, era stato notato mentre passeggiava avanti e indietro nella sala dei pagamenti, dove era avvenuto il furto. I connotati di quel signore, particolareggiati con scrupolo, furono subito trasmessi a tutti i detective sparpagliati nel Regno Unito e inviati sul continente. Perciò le anime più candide e ispirate all'ottimismo – e Walter Ralph rientrava in questa categoria – erano convinti si potesse ragionevolmente sperare nel fatto che il ladro non avrebbe potuto scamparla a lungo.

È facile comprendere che questo episodio fosse l'argomento del giorno a Londra e in tutta l'Inghilterra. In ogni conversazione s'intrufolava la notizia del furto e si discuteva, ci si appassionava a scommettere pro o contro il successo della polizia metropolitana.

Nulla, dunque, di strano sentendo che i membri del Reform Club discutevano di quel medesimo argomento, tanto più che tra di loro sedeva uno dei vicegovernatori della Banca.

Walter Ralph non aveva nessun dubbio sui buoni risultati che sarebbero venuti dalle ricerche, anche perché la taglia messa in palio avrebbe sicuramente aiutato gli agenti a dare il meglio. Il suo collega Andrew Stuart, al contrario, non condivideva per niente tutta quella fiducia.

La discussione continuò fra i due anche dopo che si erano seduti, con gli altri, alla tavola del whist: Stuart davanti a Flanagan, Fallentin di fronte a Phileas Fogg. Mentre giocavano non parlavano, ma negli intervalli fra un passaggio di carte e l'altro la conversazione riprendeva da dove era arrivata e si faceva sempre più accesa.

"Io credo" diceva Andrew Stuart, "che il ladro non lo prenderanno mai, anche perché deve per forza essere abilissimo."

"Suvvia!" rispondeva Ralph. "Ormai non c'è più un angolo del mondo in cui si possa nascondere."

"Questa è un'esagerazione..."

"Dove volete mai che vada?"
"Non ne ho idea" rispondeva Andrew Stuart. "Ma, in fondo, il mondo è grande!"
"Lo era una volta, ma non più oggi" disse a mezza voce Phileas Fogg. E poi, porgendo le carte a Thomas Flanagan: "Tocca a voi tagliare il mazzo".
La discussione fu interrotta per tutta la durata della partita. Ma, finita la mano, Andrew Stuart riprese: "Che cosa intendevate dicendo che la Terra era grande una volta? Si è forse rimpicciolita?
"È chiaro" rispose Walter Ralph. "Io sono dell'idea del signor Fogg: la Terra è diventata più piccola, dal momento che ora la si percorre in un decimo del tempo necessario cento anni fa. Ed è proprio questo che renderà più facile la nostra caccia al ladro."
"Sì, ma anche il ladro ne avrà vantaggi: pure fuggire è diventato più facile!"
"Il gioco tocca a voi, signor Stuart" avvertì Phileas Fogg.
Ancora una volta tornarono in silenzio per riprendere a giocare. Ma Stuart non era ancora convinto: si rifiutava di credere a quel che sentiva. Appena la partita finì, insistette: "Bisogna ammettere, signor Ralph, che sostenete una cosa ben strana affermando che la Terra si è fatta più piccola! Così, siccome oggi se ne fa l'intero giro in tre mesi..."
"Bastano ottanta giorni" lo corresse Phileas Fogg.
"Precisamente, signori!" gli fece eco John Sullivan. "Ottanta giorni! Il percorso fra Rothal e Allahabad è stato aperto con la Grande Ferrovia Peninsulare Indiana. Ecco qui il calcolo fatto dal *Morning Chronicle*: Da Londra a Suez, passando per il Moncenisio e Brindisi in ferrovia e in piroscafo: 7 giorni, da Suez a Bombay in piroscafo: 13 giorni, da Bombay a Calcutta in ferrovia: 3 giorni, da Calcutta a Hong Kong in piroscafo: 13 giorni, da Hong Kong a Yokohama (Giappone) in piroscafo: 6 giorni, da Yokohama a San Francisco in piroscafo: 22 giorni, da San Francisco a New York in ferrovia: 7 giorni, da New York a Londra in piroscafo e in ferrovia: 9 giorni. Totale 80 giorni."
"Già, ottanta giorni!" esclamò Andrew Stuart che, per l'eccitazione,

tagliò per errore una carta reale. "Ma senza contare il cattivo tempo, i venti contrari, i naufragi, i deragliamenti e tutti gli altri possibili imprevisti."

"Tutto compreso" rispose Phileas Fogg, che continuava a giocare, poiché ormai la discussione non rispettava più il whist.

"Anche se gli Indiani portano via le rotaie, fermano i treni, saccheggiano i vagoni e prendono lo scalpo ai viaggiatori?"

"Tutto compreso" assicurò Phileas Fogg e scoprì le carte, visto che aveva vinto.

Andrew Stuart, che era di turno per fare il mazzo, raccolse le carte e disse: "In teoria avete ragione, Sir Fogg, ma in pratica..."

"Anche in pratica, Sir Stuart."

"Sarei proprio curioso di vederlo!"

"Dipende solo da voi. Partiamo insieme."

"Me ne guardo bene! Ma scommetterei volentieri quattromila sterline che è impossibile fare un simile viaggio in queste condizioni.

"È assolutamente possibile, invece" insistette Fogg.

"E va bene. Allora fatelo!"

"Il giro del mondo in ottanta giorni?"

"Sì."

"Volentieri."

"Quando?"

"Subito."

"Ma è una pazzia!" esclamò Andrew Stuart, che iniziava a essere indispettito per l'insistenza del suo collega. "Mi pare sia meglio giocare."

"Ridate le carte, allora" gli rispose Phileas Fogg, "perché le avete distribuite male."

Andrew Stuart raccolse le carte frettolosamente, con le mani tremanti. All'improvviso le posò sulla tavola e urlò: "E allora sia, Fogg! Scommetto quattromila sterline!"

Fallentin intervenne: "Calmatevi, Stuart. Non è questo il modo di comportarsi".

"Quand'io dico 'scommetto', dico sempre sul serio!" gli rispose secco Andrew Stuart.

"E va bene" disse Sir Fogg. Poi, rivolgendosi ai compagni di gioco: "Ho ventimila sterline depositate presso i Fratelli Baring. Le punto volentieri".

"Ventimila sterline!" esclamò John Sullivan. "Ventimila sterline che un ritardo o un imprevisto possono farvi perdere!"

"L'imprevisto non esiste" rispose il gentiluomo con il suo solito tono pacato.

"Ma, Sir Fogg, questi ottanta giorni sono il tempo minimo, non quello normale!"

"Un minimo ben impiegato è sufficiente per tutto."

"Per rispettare questo termine, però, bisognerebbe saltare dai treni sui piroscafi, e dai piroscafi sui treni senza perdere un istante."

"Salterò senza perdere un istante."

"Voi state scherzando!"

"Un vero inglese non scherza mai quando si tratta di una cosa seria come una scommessa" rispose Phileas Fogg. "Io scommetto ventimila sterline, contro chiunque, che farò il giro del mondo in ottanta giorni, se non meno, ossia in millenovecentoventi ore, cioè in centoquindicimila e duecento minuti. Accettate?"

"Accettiamo" risposero insieme Stuart, Fallentin, Sullivan, Flanagan e Ralph dopo che si furono consultati.

"Perfetto" rispose Phileas Fogg. "C'è un treno per Dover alle 20 e 45. Partirò con quello."

"Stasera stessa?" chiese Stuart.

"Stasera stessa. Perciò" aggiunse il signor Fogg consultando un calendario da tasca, "poiché oggi è mercoledì 2 ottobre, dovrò essere di ritorno a Londra, in questo stesso salotto del Club, il sabato 21 dicembre alle 20 e 45. Se così non sarà, le ventimila sterline depositate attualmente a mio nome presso i Fratelli Baring saranno vostre. E, affinché possiate riscuotere la somma, eccovi subito un assegno."

Procedettero subito a una stesura formale dell'accordo e l'atto fu immediatamente firmato dai sei scommettitori.

Per tutto il tempo, Phileas Fogg era rimasto assolutamente impassibile. Di sicuro non aveva scommesso per guadagnare; e aveva impe-

gnato solo quelle ventimila sterline (la metà del suo capitale) perché pensava che forse avrebbe dovuto spendere l'altra metà per portare a termine quel difficile progetto.
Tutti gli altri, invece, sembravano commossi, non tanto per l'enorme valore della posta, ma perché avevano qualche scrupolo a impegnarsi in una scommessa che sembrava impossibile.
Le campane suonarono sette rintocchi.
Proposero al signor Fogg di sospendere la partita di whist per dargli il tempo di fare i preparativi per la partenza.
"Io sono sempre pronto" rispose imperturbabile il gentleman mentre continuava a distribuire le carte: "Volto quadri. Tocca a voi giocare per primo, signor Stuart".

4 Phileas Fogg meraviglia Passepartout, il suo domestico

Alle 19 e 25, dopo avere guadagnato una ventina di ghinee al whist, Phileas Fogg si congedò dai colleghi e lasciò il Reform Club. Alle 19 e 50 aprì la porta di casa e andò nella sua stanza.
Passepartout, che aveva coscienziosamente imparato a memoria il programma giornaliero, si meravigliò molto nel vedere il signor Fogg apparire a quell'ora e macchiare la sua immacolata reputazione con un'imprecisione. In base alla tabella di marcia, il signore di Saville Row sarebbe dovuto rincasare a mezzanotte esatta.
Dopo un istante, dalla sua camera, Phileas Fogg chiamò: "Passepartout".
Passepartout non rispose perché quella chiamata non poteva essere rivolta a lui: non era l'ora!
"Passepartout!" tornò a ripetere il signor Fogg, ma senza alzare la voce. A quel punto, il servitore si presentò.
"Vi ho dovuto chiamare due volte" fece notare il gentiluomo.

"Perché non è mezzanotte!" fece notare domestico, che teneva in mano il suo orologio.

"Me ne rendo conto e non vi rimprovero. Tra dieci minuti partiamo per Dover e Calais."

La faccia rotonda del francese fu segnata da una specie di smorfia. Non riusciva a capire cosa stesse succedendo.

"Il signore cambia casa?" chiese.

"Sì. Andiamo a fare il giro del mondo."

Passepartout, gli occhi sbarrati, le sopracciglia sollevate e le braccia penzoloni lungo il corpo afflosciato, manifestava tutta la sua meraviglia, che arrivava a sfiorare lo stupore.

"Il giro del mondo!" ripeté in un mormorio.

"In ottanta giorni" concluse la frase il signor Fogg. "Dunque, non possiamo perdere un solo istante."

"E le valigie?" si azzardò a chiedere Passepartout, che senza rendersene conto aveva cominciato a dondolare la testa a destra e a sinistra.

"Nessun bagaglio. Sarà sufficiente un sacco da viaggio. Metteteci due camicie di lana e tre paia di calze per me e altrettanto per voi. Quel che servirà, lo compreremo per strada. Prendete il mio soprabito e la mia coperta. Procuratevi delle scarpe comode, anche se cammineremo poco o quasi nulla. E ora andate."

Passepartout avrebbe voluto rispondere qualcosa, ma non trovò nulla da dire. Uscì dalla camera del signor Fogg, salì nella propria e si lasciò andare su una sedia balbettando: "Tutto ciò è incredibile… E io che volevo starmene in pace!"

Si rialzò e, macchinalmente, iniziò i preparativi per il viaggio. Un turbine di pensieri gli frullava per la mente.

Il giro del mondo in soli ottanta giorni! Che avesse preso servizio da un pazzo? Lo escludeva... Era tutto uno scherzo? Andare a Dover… e va bene; a Calais… e che fosse pure. In fin dei conti, tutto questo non gli dispiaceva poiché già da cinque anni non tornava nella propria nazione. Con tutta probabilità sarebbero passati anche da Parigi: oh, di sicuro a Passepartout avrebbe fatto piacere rivedere la capitale. E poi? Si poteva solo sperare che un gentiluomo tanto parsimonioso di soldi e di passi si fermasse lì... Sì, certamente. Ma, nonostante questo, era comunque vero che adesso partiva, traslocava… quel signore che sembrava il più affezionato di tutti alla propria casa!

Alle 20, Passepartout aveva già finito di preparare il sacco con il guardaroba del signore e il proprio. Lasciò la camera, ne chiuse diligentemente la porta e, ancora tutto scombussolato, raggiunse Phileas Fogg.

Sir Fogg era pronto. Teneva sotto il braccio una voluminosa copia dell'Orario Bradshaw 'Guida generale delle ferrovie continentali e dei battelli a vapore' che conteneva tutte le indicazioni necessarie al viaggio che stavano per cominciare.

Prese il sacco dalle mani di Passepartout, l'aprì e vi sistemò un consistente pacco di banconote nuovissime.

"Non avete dimenticato nulla?" domandò al suo domestico.

"Niente, signore."

"La mia coperta da viaggio e il mio soprabito?"

"Eccoli, per voi."

Il signor Fogg rimise il sacco nelle mani del domestico.

"Conservatelo con cura" aggiunse. "Ora contiene anche ventimila sterline."

Per poco il sacco non cadde dalle mani di Passepartout, come se le ventimila sterline pesassero quanto monete d'oro.

Subito dopo, il padrone e il domestico scesero nella via e la porta di casa venne chiusa a doppia mandata.

In fondo a Saville Row si trovava un posteggio di vetture. Il signor Fogg e il suo domestico montarono in una carrozza e si diressero a trotto sostenuto verso la stazione di Charing-Cross, dove arriva una tratta della ferrovia di sud-est.

Alle 20 e 20 la carrozza frenò davanti ai cancelli. Passepartout balzò a terra. Il padrone lo seguì e pagò il vetturino. Giusto in quel momento una mendicante, con uno scialle a brandelli buttato sui poveri cenci, e che teneva per mano un bambino, si avvicinò al signore e tese la mano.

Phileas Fogg tolse da una tasca le venti ghinee che poco prima aveva vinto al whist e le offrì alla mendicante: "Ecco per voi!" disse. "Sono lieto di avervi incontrato." Poi, tirò dritto.

Passepartout si commosse fino ad avere gli occhi umidi. Il suo nuovo padrone aveva conquistato una nuova posizione nel suo cuore. Senza perdere tempo, i due entrarono nella biglietteria piena di gente.

Phileas Fogg incaricò Passepartout di acquistare due biglietti di prima classe per Parigi e rimase ad aspettarlo mentre faceva la fila. In quel momento, girandosi, vide i suoi cinque amici del Reform Club.

"Signori" disse loro, "io sto per partire. Le vidimazioni che farò apporre sul passaporto vi consentiranno, al mio rientro, di verificare il percorso che avrò seguito."

"Oh, Sir Fogg" rispose compostamente Walter Ralph, "non è assolutamente necessario! Siamo sicurissimi della vostra lealtà."

"Preferisco lo stesso che possiate controllare" precisò Fogg.

Andrew Stuart si fece avanti e li raccomandò: "Non scordate che vi aspettiamo di ritorno..."

"Fra ottanta giorni esatti" finì la frase Phileas Fogg, "e cioè sabato 21 dicembre 1872, alle 20 e 45. Arrivederci, signori."

Alle 20 e 40 Phileas Fogg e il domestico si sistemarono nel loro scompartimento. Alle 20 e 45 il treno fischiò e si mosse. La sera era cupa. Cadeva una pioggerella insistente. Phileas Fogg se ne stava rannicchiato nel suo angolo e stava zitto. Passepartout, ancora incredulo, stringeva a sé il sacco con le banconote.

Il treno non aveva ancora superato Sydenham, e Passepartout lanciò un grido angosciato.

"Che succede?" chiese Fogg.

"Il fatto è che... per la fretta... nello stupore... ho scordato..."

"Che cosa avete scordato?"

"Di spegnere il beccuccio a gas della lampada nella mia camera!"

"Allora, mio caro amico" rispose gelido il signor Fogg, "il costo della bolletta lo pagherete voi."

5 Un nuovo valore alla Borsa di Londra

Mentre lasciava Londra, Phileas Fogg non poteva immaginare l'enorme scalpore che la sua partenza avrebbe suscitato. La notizia della scommessa si diffuse dapprima al Reform Club e produsse un'incredibile impressione fra i membri di quel circolo esclusivo.
Dal Club, la voce passò ai giornali grazie ai cronisti e dai giornali si estese a tutto il pubblico di Londra prima e dell'Inghilterra intera poi.
La 'questione del giro del mondo' venne commentata, analizzata, dibattuta appassionatamente quasi come se si trattasse di un nuovo 'caso Alabama' (che aveva molto scosso qualche tempo prima i rapporti tra l'Inghilterra e gli Stati Uniti d'America). Alcuni si schierarono subito dalla parte di Phileas Fogg; altri – che presto diventarono una schiacciante maggioranza – si espressero contro di lui.
Il giro del mondo, da fare (e non solo a parole o sulla carta!) entro quel tempo minimo, con i mezzi di trasporto disponibili a quell'epoca, era un'impresa che non solo sembrava impossibile, ma addirittura senza senso!
Il *Times*, lo *Standard*, l'*Evening Star*, il *Morning Chronicle* e più di venti altri giornali inglesi a grande tiratura si proclamarono contro il signor Fogg. Solo il *Daily Telegraph* lo sostenne, anche se molto debolmente. Fogg venne accusato di essere un esaltato, se non addirittura un pazzo; i suoi colleghi del Reform Club furono condannati per avere accettato quella scommessa che poteva andare bene solo a chi non era del tutto in sé.
Si fecero scorrere fiumi d'inchiostro e furono pubblicati moltissimi articoli appassionati ma anche lucidamente critici. Siccome, poi, in Inghilterra tutto quello che riguarda la geografia suscita un interesse enorme, non c'era lettore che non divorasse gli articoli che la stampa dedicava al caso di Sir Phileas Fogg.
Nel corso dei primi giorni, alcuni audaci sostennero il gentiluomo (e furono soprattutto donne), in particolare dopo che l'*Illustrated Lon-*

don News ebbe pubblicato la scheda del signor Fogg quale si trovava negli archivi del Club e che conteneva quel poco che era conosciuto della sua biografia. Qualcuno aveva azzardato: "Eh, perché no, in fin dei conti? Si sono viste imprese ben più azzardate!"

Senza dubbio, a pensarla così erano i lettori del *Daily Telegraph*.

Presto, però, anche questo giornale iniziò a vacillare: una voce ben più autorevole si era alzata dalle fila di quelli che la pensavano in maniera completamente diversa. Si trattava di un lungo articolo pubblicato il 7 ottobre sul Bollettino della Reale Società di Geografia.

Il testo esaminava la questione da ogni possibile punto di vista e finiva per dimostrare chiaramente che quell'impresa era una pura follia. Tutto era contro il viaggiatore: gli ostacoli posti dall'uomo e quelli posti dalla natura. Per compiere davvero il viaggio, sarebbe stata necessaria una miracolosa precisione degli orari di partenza e d'arrivo dei mezzi di trasporto scelti: ma era un'esattezza che di certo non esisteva, e che nemmeno sarebbe potuta esistere. In base all'esperienza di quei tempi, solamente in Europa (dove i tragitti sono relativamente brevi), si poteva contare sulla puntualità dei treni. Ma quando si trattava di impiegare tre giorni per attraversare l'India, sette giorni per attraversare gli Stati Uniti d'America, allora come sarebbe stato possibile contare sulla puntualità dei mezzi? E tutto questo anche senza ipotizzare guasti di macchina, disguidi, scontri, clima avverso, il disagio della neve… Tutte queste non erano forse circostanze che deponevano a svantaggio di Phileas Fogg? Non sarebbe potuto accadere che, durante l'inverno, i battelli si trovassero in balia del vento e delle onde?

Non era per niente raro che persino i più veloci piroscafi delle linee che attraversavano l'oceano subissero ritardi anche di due o tre giorni. Sarebbe bastato anche un ritardo, uno solo, perché il concatenarsi del viaggio venisse irrimediabilmente sconvolto. Se Phileas Fogg avesse perduto, anche solo per poche ore, la partenza di un piroscafo, sarebbe stato costretto ad aspettare il piroscafo successivo e il suo viaggio sarebbe stato compromesso senza nessuna possibilità di rimedio.

L'articolo che conteneva tutte queste considerazioni fece molto parlare. Tutti i giornali lo citarono e, quindi, le azioni di Phileas Fogg si ribassarono in maniera indicibile.
Sì, proprio le 'azioni': esattamente quelle che si vendono o si comprano in Borsa! Nei giorni immediatamente successivi alla partenza, un imponente giro d'affari era stato costruito sul rischio di quell'impresa mirabolante. L'Inghilterra è la patria degli scommettitori, quindi non solo i soci del Reform Club scommisero somme favolose pro e contro Phileas Fogg, ma uno sconfinato pubblico si mise a giocare. Si puntò su Phileas Fogg come fosse un cavallo in corsa all'ippodromo; battezzandolo con il suo nome, venne addirittura creato un nuovo valore di Borsa che fu regolarmente quotato e andò a ruba. Ma, dopo la pubblicazione dell'articolo della Società di Geografia, gli acquisti delle 'azioni Phileas Fogg' diminuirono sensibilmente. Ormai, erano così svalutate da essere offerte a mazzetti interi. Comprate all'inizio a cinque e poi a dieci per volta, ormai le si comprava solo a pacchetti di venti, cinquanta o cento!
Uno solo restò un loro fermo sostenitore. Si trattava del vecchio e paralitico Lord Albermale. Inchiodato sulla poltrona, avrebbe dato via la sua intera fortuna per compiere il giro del mondo, gli fosse pure costato d'impiegarci dieci anni! Il Lord scommise cinquemila sterline in favore della riuscita del piano di Phileas Fogg. E, se qualcuno tentava di fargli capire quanto il suo progetto fosse insensato e irrealizzabile, si limitava a rispondere: "Se la cosa si può fare, è bene che il primo a farla sia un inglese!"
Dunque, le cose stavano così: i partigiani di Phileas Fogg si riducevano sempre più e tutti (e non del tutto a torto) si mettevano contro di lui; si prendevano le sue azioni a 150 o a 200 contro una, quando – sette giorni dopo la sua partenza – un incidente assolutamente inatteso provocò un ulteriore ribasso che le rese sconsigliabili e ne bloccò il commercio.
Quel giorno, infatti, alle 21, il Direttore della Polizia metropolitana aveva ricevuto il seguente telegramma:
Suez – a Londra – Rowan, Direttore Polizia – Amministrazione Cen-

trale – Scotland Place. Seguo a vista ladro Banca, Phileas Fogg. Spedite immediatamente mandato di cattura a Bombay. Fix, detective.

Le conseguenze del telegramma non si fecero attendere. La figura di Phileas Fogg come uomo rispettabile tramontò e lasciò spazio all'immagine del ladro di banconote.

La fotografia di Sir Fogg, che era depositata presso il Reform Club insieme a quelle di tutti i suoi soci, venne diffusa e attentamente studiata. A guardarla bene, sembrava proporre lineamento per lineamento i connotati dell'individuo di cui l'inchiesta aveva parlato!

All'improvviso, tutti cominciarono a pensare con sospetto all'alone di mistero che circondava la vita di Phileas Fogg, il suo vivere isolato, la sua partenza precipitosa. Era chiaro che quel tipo, con la scusa di fare un viaggio rocambolesco intorno al mondo e con il pretesto di una scommessa insensata, aveva raggiunto lo scopo di far perdere le proprie tracce agli agenti della polizia inglese.

6 L'impazienza del detective Fix

Bisogna ora chiarire le circostanze in cui fu scritto il telegramma che riguardava il ladro di banconote.

Alle 11 di mercoledì 9 ottobre era atteso a Suez l'arrivo del *Mongolia*, un piroscafo a elica e a falso ponte, di proprietà della Compagnia Peninsulare e Orientale, che viaggiava tra Brindisi e Bombay passando attraverso il canale di Suez. Si trattava di uno dei mezzi più veloci della Compagnia e con la sua stazza di 2800 tonnellate e la sua forza di 500 cavalli, viaggiava sempre a più di 10 miglia all'ora nel tratto tra Brindisi e Suez e a più di 9,530 miglia tra Suez e Bombay.

Ad attendere l'arrivo del *Mongolia* sul molo degli imbarchi c'erano due individui che passeggiavano mescolandosi alla folla della gente del posto e degli stranieri, numerosissimi in questa città che in pas-

sato era solo un borgo al quale la grande opera di Lesseps garantiva un futuro radioso.
Di questi due individui, uno era l'agente consolare del Regno Unito, che abitava a Suez e – nonostante le spiacevoli previsioni del governo britannico e le sinistre predizioni dell'ingegnere Stephenson – ogni giorno vedeva imbarcazioni britanniche attraversare il canale, abbreviando di metà l'antica rotta che univa l'Inghilterra e l'India passando dal Capo di Buona Speranza.
L'altro era un uomo smilzo, un fascio di nervi, dall'espressione abbastanza intelligente e che di continuo contraeva con un tic le sopracciglia. I suoi occhi gli brillavano straordinariamente vividi, ma con uno sforzo di volontà poteva, se lo desiderava, spegnerne quel lampo sotto le lunghissime ciglia. In quel momento dava chiari segni di impazienza e andava e veniva senza riuscire a stare fermo un solo istante.
Costui era Fix ed era uno dei numerosi investigatori che la polizia di Londra aveva sparpagliato nei porti dopo il famoso furto alla Banca d'Inghilterra. L'incarico di Fix era sorvegliare scrupolosamente tutti i viaggiatori che passavano da Suez: se qualcuno gli fosse sembrato sospetto, doveva metterglisi alle calcagna in attesa che arrivasse il mandato d'arresto.
Già da due giorni la polizia di Londra aveva segnalato ai suoi detective i connotati del presunto ladro: quelli cioè del gentiluomo che era stato notato nella sala dei pagamenti della Banca. E ora Fix, ingolosito anche dal consistente premio in denaro messo in palio per chi fosse riuscito ad acciuffare il manigoldo, aspettava il *Mongolia* con l'impazienza che si può facilmente immaginare.
"Voi pensate, signor Console" chiese per l'ennesima volta "che il piroscafo possa tardare?"
"No, signor Fix. Lo hanno segnalato questa mattina al largo di Porto Said; e i 160 chilometri del Canale sono un niente per un'imbarcazione di quel tipo. Vi ripeto e vi garantisco che il *Mongolia* ha sempre vinto il premio di 25 sterline che il Governo riconosce per ogni anticipo di ventiquattr'ore sui tempi previsti."
"Il piroscafo giunge direttamente da Brindisi?"

"Sì. E ha fatto coincidenza con la Valigia delle Indie. Da Brindisi è partito sabato alle 17 e, quindi, portate pazienza: non può tardare molto prima di arrivare in porto. Ma adesso lasciate che sia io a farvi una domanda. Con i pochi connotati che vi sono stati forniti, e tutti molto comuni, come pensate di riconoscere il vostro uomo, se fosse a bordo del *Mongolia*?"

"Signor Console! Persone come quelle, più che riconoscerle dall'aspetto, si individuano con il fiuto! Naturalmente, bisogna possedere questo senso particolarissimo, che è composto dell'udito, della vista e dell'olfatto insieme. Nella mia carriera ne ho arrestato più d'uno di questi galantuomini. E vi garantisco che, se il ladro è a bordo, non me lo lascerò scappare."

"Spero sia così, signor Fix, perché si tratta di un furto davvero importante."

"Oh, un furto sensazionale!" esclamò l'investigatore, entusiasmandosi. "Cinquantacinquemila sterline! Bottini così consistenti capitano raramente. I ladri cominciano ad accontentarsi anche di meno. La razza degli Sheppards si sta estinguendo! Adesso ci si lascia impiccare per una manciata spiccioli!"

"Signor Fix" replicò il Console, "voi parlate in modo tale che, di cuore, vi auguro riusciate a mettere a segno il vostro arresto! Tuttavia, vi ripeto che nelle condizioni in cui vi trovate potrebbe essere piuttosto difficile. Dalle informazioni che vi sono state fornite, secondo me, questo ladro somiglia in tutto e per tutto a un uomo onesto, non credete anche voi?"

"Signor Console" gli rispose il detective con piglio sicuro, "i grandi ladri somigliano sempre a persone per bene. Si capisce che chi ha la faccia del delinquente non può fare altro che comportarsi in modo corretto, altrimenti lo arresterebbero subito. Le facce oneste: ecco, quelle sono quelle alle quali bisogna prestare particolare attenzione. Un lavoro difficile, sono d'accordo con voi: più che una professione, è una vera e propria arte!"

Fix non mancava, senza dubbio, di una discreta dose di autostima.

Nel frattempo, la banchina si faceva sempre più animata. Marinai

provenienti da ogni nazione, fellah, commercianti, sensali, facchini si assiepavano spingendosi, intralciandosi, vociando. Chiaramente, l'arrivo del piroscafo era imminente.
Tra tutta questa gente, Fix, per l'abitudine che gli veniva dalla professione, scrutava il viso di tutti quelli che gli passavano vicino. Un orologio batté le 10 e 30.
"Non arriva più, quel piroscafo!" esclamò, sentendo rintoccare le ore.
"Non può essere molto lontano" lo rassicurò il Console.
"Per quanto si fermerà il *Mongolia* a Suez?" chiese Fix.
"Circa quattro ore: il tempo che serve per rifornirsi di carbone."
La traversata nel Mar Rosso, da Suez fino ad Aden, è di trecentodieci miglia e quindi è bene avere buona riserva di combustibile.
"Poi, da Suez, il piroscafo andrà direttamente a Bombay?"
"Sì, senza fare nessuno scalo intermedio."
"Allora" concluse Fix con sicurezza, "se il ladro avesse scelto questa strada, sbarcherebbe certamente a Suez, con l'intenzione di spostarsi poi nei possedimenti olandesi o francesi dell'Asia per un'altra via. Deve aver ben chiaro che non tirerebbe aria buona nelle Indie, che sono tutte territorio inglese."
"Salvo" considerò il Console, "non sia un furfante molto sicuro di sé. In questo caso, saprebbe che un ladro inglese si nasconde sempre meglio in patria che all'estero."
Il Console, dopo aver fatto questa riflessione che sconcertò l'investigatore, tornò al proprio ufficio, che non era molto lontano dal porto.
Fix rimase solo. Sempre più innervosito e inquietato dallo strano presentimento che il ladro si trovasse proprio a bordo del *Mongolia*, continuava a ripetere a se stesso: "Una cosa è sicura: se quel malvivente ha lasciato l'Inghilterra per cercare salvezza in America, avrà preferito la strada delle Indie, che è meno sorvegliata o più difficile da sorvegliare di quella dell'Atlantico".
I fischi prolungati del piroscafo interruppero i pensieri di Fix.
I facchini e i fellah si precipitarono numerosi al molo di sbarco, e il loro movimento veloce creò un po' di trambusto per i passeggeri e i loro bagagli. Dieci lance si staccarono dalla riva e si mossero verso il

Mongolia. Subito dopo si scorse lo scafo gigantesco dell'imbarcazione che avanzava veloce tra le rive del Canale.

Alle 11 in punto il piroscafo entrò e gettò l'ancora nella rada, mentre grossi sbuffi di vapore si sprigionavano fragorosi dalla ciminiera. Il *Mongolia* era carico di passeggeri. Gran parte di loro si fermarono a lungo sul ponte per ammirare il meraviglioso panorama della città, ma la maggior parte scese a terra usando le lance che si erano accostate.

L'investigatore scrutava cautamente chiunque mettesse piede sulla banchina. A un tratto, uno di quei passeggeri spinse via brutalmente i fellah che lo accerchiavano offrendo i loro servizi, andò incontro a Fix e in modo molto scortese gli domandò se sapesse indicargli gli uffici del Consolato inglese. Intanto, mostrava un passaporto sul quale era evidente che desiderava far apporre il visto britannico.

Fix, con una mossa istintiva, prese il documento e con una rapida occhiata lesse le voci che elencavano i connotati. Trattenne a fatica un gesto di sorpresa. Le mani con cui teneva il foglio cominciarono a tremare: i connotati descritti sul passaporto erano perfettamente identici a quelli che gli erano stati trasmessi dalla polizia di Londra.

"Questo è il vostro passaporto?" chiese Fix all'uomo.

"No. Questo è il passaporto del mio padrone."

"Dove si trova il vostro padrone?"

"A bordo del piroscafo."

"Occorre che si presenti di persona agli uffici del Console, così che sia possibile accertare la sua identità" rispose il detective.

"Ne è sicuro? È proprio necessario fare in questo modo?"

"Sì, è indispensabile."

"Va bene. Dove sono gli uffici?"

Fix indicò una costruzione bassa, lontana circa duecento passi: "Là, all'angolo della piazza".

"Vado subito a chiamare il mio padrone, anche se sono sicuro che sarà infastidito da questa procedura."

Detto questo, l'uomo salutò Fix e tornò a bordo dell'imbarcazione.

7 Si ha la dimostrazione che i passaporti sono inutili per le questioni di polizia

Fix percorse rapido la banchina, raggiunse gli uffici del Console e chiese con urgenza di essere portato dal responsabile.
Quando gli fu davanti, andò diretto al punto: "Signor Console, il nostro uomo è a bordo del *Mongolia*!"
E raccontò dell'incontro con il domestico e di come avesse visto il passaporto, che non lasciava spazio a dubbi.
"Perfetto, signor Fix!" esultò il Console. "Sarei proprio felice di vedere che faccia ha questo briccone! Ma, se è proprio la persona che voi pensate, mi pare chiaro che non si presenterà nel mio ufficio. Nessun ladro ama lasciare una traccia del proprio passaggio e, per di più, il visto consolare non è più nemmeno obbligatorio..."
"Signor Console" lo interruppe l'investigatore, "insisto: se il ladro è un uomo molto sicuro di sé, come sembra, arriverà davanti a voi!"
"Per farmi vidimare il suo passaporto?"
"Sì. Come è risaputo, i passaporti servono a intralciare le persone oneste e a favorire la fuga dei furfanti. Ve lo garantisco io: diventerà una regola! Voglio solo pensare che non lo vidimerete!"
"Perché non dovrei?" si stupì il Console. «Se il passaporto è in regola, io non posso rifiutare di apporre il mio visto."
"Ma signor Console! Devo assolutamente trattenere questo tizio fino a quando il regolare mandato di cattura arriverà da Londra!"
"Signor Fix, questo è un problema vostro. Io non posso..."
Il Console non finì la frase perché in quel momento qualcuno bussò alla porta dello studio e l'impiegato fece passare due uomini.
Fix riconobbe subito l'uomo con cui poco prima aveva parlato e capì che l'altro era il suo padrone.
Il domestico mostrò il passaporto, pregando il Console di apporre il suo timbro. Il Console prese il documento e lo esaminò con cura. Intanto Fix si era ritirato in un angolo della stanza e da lì divorava con gli occhi l'uomo impettito che ancora non aveva parlato.

Quando finì di studiare il passaporto, il Console gli si rivolse: "Voi siete Sir Phileas Fogg?"
"Sì, signore" rispose il gentiluomo.
"E costui è il vostro domestico?"
"Sì, è francese si chiama Passepartout."
"Arrivate da Londra?"
"Sì."
"E dove andate?"
"A Bombay."
"Bene, signore. Sapete che la formalità della vidimazione non è più obbligatoria e che non siete più tenuti alla presentazione del passaporto agli uffici del Consolato."
"Ne sono informato" rispose Phileas Fogg. "Ma con il vostro timbro voglio avere una prova del mio passaggio da Suez."
"Non ho nulla in contrario a fare quel che mi chiedete, signore."
Firmò e mise la data sul passaporto e poi vi appose il timbro. Fogg pagò i diritti di vidimazione, salutò rigidamente e uscì, seguito dal suo domestico. Appena furono soli, Fix chiese al Console: "Ebbene?..."
"Se devo essere sincero, signor Fix, quell'uomo mi sembra un perfetto gentiluomo."
"È possibile" rispose il detective, "ma questo non significa nulla. Piuttosto, non vi sembra che quel flemmatico gentleman somigli in tutto e per tutto al ladro di cui la polizia ci ha inviato i connotati?»
"Sono d'accordo, sapete anche voi che i connotati a volte..."
"Basta. Ci voglio vedere chiaro" concluse Fix prima che l'altro potesse finire.
"Il servo mi sembra meno sussiegoso del padrone e, per di più, è un francese: e non sarà difficile convincerlo a parlare. Arrivederci, signor Console!"
Il detective si calcò in testa il cappello, uscì di corsa e si mise alla ricerca di Passepartout.
Nel frattempo, Phileas Fogg aveva lasciato la sede consolare e si era diretto al molo. Lì, dati alcuni ordini al domestico, lo lasciò a terra e s'imbarcò su una lancia che lo riportò al *Mongolia*, dove si ritirò

nella propria cabina. Chiuse la porta e prese il suo elegante taccuino da viaggio su cui aveva preso degli appunti:

Partenza da Londra, mercoledì 2 ottobre, ore 20 e 45.
Arrivo a Parigi, giovedì 3 ottobre, ore 7 e 20.
Partenza da Parigi, ore 8 e 40.
Arrivo, per il Moncenisio, a Torino, venerdì 4 ottobre, ore 6 e 35.
Partenza da Torino, venerdì, ore 7 e 20.
Arrivo a Brindisi, sabato 5 ottobre, ore 16.
Imbarco sul Mongolia, *sabato, ore 17.*
Arrivo a Suez, mercoledì 9 ottobre, ore 11.
Totale ore impiegate: 158 e 112, equivalenti a giorni 6 e mezzo.

Phileas Fogg riportò con cura questi dati su un foglio di viaggio diviso in colonne, su cui venivano messi in evidenza, dal 2 ottobre al 21 dicembre, il mese, il giorno, l'orario regolamentare e l'orario effettivo di arrivo in ciascuna delle tappe principali: Parigi, Brindisi, Suez, Bombay, Calcutta, Singapore, Hong Kong, Yokohama, San Francisco, New York, Liverpool, Londra. Questo sistema permetteva di rilevare e calcolare a prima vista il vantaggio o il ritardo accumulati in ogni parte del tragitto.
Quel giorno, dunque, il 9 ottobre, il signor Fogg registrò il suo arrivo a Suez che non costituiva né un anticipo né un ritardo, poiché era stato perfettamente puntuale. Quindi, si fece servire la colazione in cabina. Non valutò nemmeno l'ipotesi di scomodarsi per vedere la città, poiché faceva parte di quell'aristocratica categoria di britannici che fanno visitare i paesi in cui viaggiano solo al proprio personale di servizio.

8 Forse Passepartout parla un po' di più di quel che dovrebbe

In pochi istanti Fix raggiunse Passepartout sul molo, dove gironzolava guardandosi attorno con grande interesse.

"Dunque, giovanotto" gli disse il detective prendendolo alla sprovvista e battendogli una mano sulla spalla, "il vostro passaporto è stato vidimato?"

"Ah, siete voi? Grazie mille per l'indicazione! Sì, sì, abbiamo fatto tutto e ora siamo perfettamente in regola."

"Bene! E ora avete tempo per visitare la città?"

"Con il mio padrone andiamo così di fretta che più che viaggiare mi sembra di sognare. Questa è proprio Suez?"

"Sì, Suez."

"In Egitto?"

"Certo, in Egitto."

"Questa allora è l'Africa?!"

"Proprio l'Africa."

"Sono in Africa!" ripeté Passepartout. «Faccio fatica a crederci! Si figuri che pensavo di non andare oltre Parigi! Mi sarebbe piaciuto rimanere un po' nella mia bellissima città. Avrei molto volentieri visitato l'antico cimitero e il Circo degli Champs-Élysées... Invece, tutto quello che ho visto è stato il percorso dalla Stazione Nord alla Stazione di Lione, attraverso i cristalli di una carrozza e con il battere di un acquazzone, per di più in corsa tra le 7 e 20 e le 8 e 40."

"Avete tanta fretta?" s'incuriosì il detective.

"Io no, ma il mio padrone sì. A proposito! Devo comperargli calze e camicie. Siamo partiti solo con un sacco da viaggio, senza valigia."

"Vi accompagno io in un bazar dove troverete tutto quello che vi occorre."

"Siete davvero molto gentile!" esclamò Passepartout.

E, senza esitazioni, si avviò in compagnia dello sconosciuto. Mentre camminava, continuava a chiacchierare.

A un certo punto disse: “Mi raccomando! Non mi faccia far tardi per la partenza del piroscafo!”
“Avete tempo” lo rassicurò Fix. “È solo l’una.”
Passepartout tolse dal taschino il suo enorme orologio.
“Macché l’una!” esclamò. “Sono le 10 e 52 minuti.”
“Il vostro orologio è rimasto indietro” osservò Fix.
“Il mio orologio?! Un orologio di famiglia, che è appartenuto al mio bisnonno! Non sbaglia di cinque minuti in un anno: un vero cronometro!”
“Vi spiego come stanno le cose. Avete mantenuto l’ora di Londra, che è circa due ore indietro rispetto a Suez. Dovreste regolare il vostro orologio secondo il fuso orario di ogni nazione in cui passate.”
“Toccare il mio orologio?!” Passepartout era scandalizzato. “Mai!”
“Va bene, ma se non lo farete non avrete mai l’ora giusta secondo il sole.»
“Peggio per il sole, allora: l’errore sarà suo, non mio!”
E, detto questo, rimise l’orologio nel taschino con fare sprezzante.
Dopo qualche minuto di silenzio, Fix cercò di riprendere il discorso: “Ve ne siete andati da Londra a precipizio, a quanto pare”.
“Potete ben dirlo! Lo scorso mercoledì, diversamente dal solito, il signor Fogg rientrò dal Reform Club alle 20. Quarantacinque minuti più tardi eravamo già partiti.”
“Dove è diretto il vostro padrone?”
“Va sempre avanti: fa il giro del mondo.”
“Il giro del mondo!” esclamò Fix.
“Sì, in soli ottanta giorni. Una scommessa, a quanto dice lui. Però, resti fra noi, io non ci credo affatto. Non ha molto senso, non vi pare? Ci deve essere sotto qualcosa.”
“Ah, è un tipo bizzarro questo signor Fogg?”
“A quanto pare…”
“Sapete se è ricco?”
“Di sicuro lo è! Ha portato con sé una bella somma in banconote nuovissime e non risparmia il denaro mentre viaggia. Pensate che ha promesso al macchinista del *Mongolia* un premio in denaro se arriviamo a Bombay in anticipo.”

"E voi lo conoscete da molto il vostro padrone?"
"Macché!" esclamò Passepartout. "Lavoro con lui dallo stesso giorno della nostra partenza."
La fantasia già eccitata del detective si alimentava delle risposte del francese.
La precipitosa partenza da Londra due giorni dopo il furto, la gran quantità di banconote portata in viaggio, la fretta di arrivare in paesi lontani, il pretesto di quella strana scommessa... tutto sembrava e doveva confermare a Fix la certezza di aver visto giusto.
L'investigatore si diede da fare per far parlare ancora il francese e così venne a sapere che il signor Fogg viveva a Londra in modo assolutamente isolato, che tutti mormoravano fosse ricco pur non conoscendo la fonte delle sue ricchezze, che era un uomo misterioso e via discorrendo. Alla fine, seppe anche che il gentleman non si sarebbe fermato a Suez, ma sarebbe andato direttamente a Bombay.
"Bombay è lontana?" s'informò Passepartout.
"Molto lontana. Per raggiungerla servono ancora dieci giorni di viaggio per mare."
"In quale parte del mondo si trova?"
"In India."
"In Asia?"
"Esattamente."
"Accidenti! Vi devo confessare che c'è una cosa sola che mi preoccupa molto... Il mio becco..."
"Quale becco?!"
"Il becco a gas: dimenticai di spegnerlo e la spesa sarà a mio carico. Siccome ne ho avuto il tempo, ho calcolato che mi costerà due scellini ogni ventiquattro ore e cioè sei pence più di quanto guadagno al giorno. Per quanto poco il viaggio duri..."
Fix capì poco di quella faccenda del gas, anche perché non ascoltava più quello che il suo compagno gli diceva: mentalmente, stava prendendo una decisione.
Nel frattempo, erano arrivati al bazar. Fix vi lasciò Passepartout a fare i suoi acquisti, dopo avergli raccomandato di essere puntuale per la

partenza del *Mongolia*. In fretta e furia, il detective tornò agli uffici dell'agente consolare: aveva riconquistato tutto il suo sangue freddo. Entrando nello studio del funzionario proruppe: «Signor Console, ormai è sicuro: ho in pugno il ladro! Si fa credere uno stravagante che vuol compiere il giro del mondo in ottanta giorni".
"Allora è un volpone che crede di fare ritorno a Londra dopo aver seminato le polizie dei due continenti."
"Ah, questo è tutto da vedere!" esclamò Fix.
"Non è che vi sbagliate?" insistette ancora il Console.
"No, non mi sbaglio!"
"Allora, mi domando, come si spiega che questo ladro tenesse tanto a farsi vistare il passaporto per dimostrare il suo passaggio da Suez?"
"Perché... perché... Non ne ho idea, signor Console. Ma non importa: sono sicuro di avere una pista infallibile!"
In poche parole riferì le parti più interessanti della sua conversazione con Passepartout.
"In effetti" convenne il Console, "tutti i sospetti sono contro quest'uomo. E che intendete fare?"
"Spedirò subito un dispaccio a Londra, con la richiesta d'inviarmi urgentemente a Bombay il mandato di cattura contro questo Phileas Fogg. Intanto, mi imbarcherò sul *Mongolia* e starò alle calcagna del ladro fino in India. Là, che è terra inglese, lo avvicinerò educatamente con il mio mandato stretto in pugno e, mettendogli una mano sulla spalla, gli dirò: 'Sir Phileas Fogg, vi dichiaro in arresto!'"
E, dette con risoluta freddezza quelle parole, il detective lasciò gli uffici del Consolato.
Pochi minuti più tardi, dalla centrale telefonica di Suez partiva il dispaccio per il Direttore della Polizia di Londra. Un quarto d'ora dopo, Fix si imbarcava sul *Mongolia* con il suo leggero bagaglio, ben fornito di denaro.
La nave lasciò la rada di Suez alle 15, fendendo a tutto vapore le acque del mar Rosso.

9 Il Mar Rosso e il Mar delle Indie favoriscono il progetto di Phileas Fogg

La distanza tra Suez e Aden è precisamente di 1310 miglia e il programma della Compagnia prevede che i suoi piroscafi la percorrano in 1380. Il *Mongolia* stava marciando con le caldaie sempre sotto pressione e filava talmente veloce da anticipare l'orario stabilito per l'arrivo.

Per la maggior parte, i passeggeri che si erano imbarcati a Brindisi avevano come meta l'India. Alcuni andavano a Bombay, altri a Calcutta, ma sempre via Bombay, siccome non è più necessario doppiare il capo di Ceylon da quando una tratta ferroviaria attraversa la penisola indiana per tutta la sua lunghezza.

Tra i passeggeri del *Mongolia* c'erano funzionari civili e ufficiali di ogni grado. Di questi, alcuni appartenevano all'esercito britannico, altri comandavano le truppe indigene di cipay; ma tutti avevano lauti stipendi, anche ora che il Governo ha acquisito i diritti e i doveri dell'antica Compagnia delle Indie: i sottotenenti hanno una paga di settemila franchi, i brigadieri di sessantamila franchi e i generali ne ricevono centomila.

Sul *Mongolia*, dunque, ci si trovava in questa società di funzionari, cui si univano alcuni giovani inglesi che, con un milione in tasca, se ne erano partiti per fondare agenzie di commercio.

Il 'purser', l'uomo di fiducia della Compagnia, aveva grado pari al capitano a bordo della nave e faceva le cose con grande sfarzo. I pasti venivano serviti al mattino, alle 14, alle 17 e 30 e alle 20 e le tavole erano così cariche di piatti di carne e di dolci, che provenivano dalle macellerie e dalle dispense di bordo, che sembravano piegarsi sotto il loro stesso peso.

Le passeggere – e alcune ve ne erano – cambiavano l'abito due volte al giorno. L'orchestrina suonava musica e alcuni, quando il mare lo permetteva, danzavano.

Come tutti i golfi di forma stretta e allungata, il Mar Rosso è capriccioso e spesso feroce. Quando il vento soffiava sia dalla costa dell'Asia sia dalla costa dell'Africa, il *Mongolia,* che non era altro che un fuscello a elica, veniva preso di fianco e rollava in maniera spaventosa. Quando le cose stavano così, le dame scomparivano, i pianoforti si zittivano e canti e danze venivano lasciati perdere. Eppure, nonostante il vento e le onde gigantesche, il piroscafo, spinto dai suoi motori a tutta forza, correva senza ritardi verso lo stretto di Bab-el-Mandeb.

Che cosa stava facendo Phileas Fogg nel frattempo? Si potrebbe pensare che, ansioso, stesse a studiare i cambiamenti del vento capaci di intralciare la corsa della nave, i movimenti confusi delle onde che rischiavano di danneggiare le macchine, si preoccupasse insomma di tutte le possibili difficoltà che avrebbero compromesso il suo viaggio obbligando il *Mongolia* a riparare in qualche porto.

Tutt'altro! O, diciamo, se pensava a tutti i rischi che avrebbero potuto correre, non lo si sarebbe proprio detto perché non lasciava trasparire nulla.

Era sempre uguale a se stesso: l'uomo impassibile, socio imperturbabile del Reform Club che nessun incidente o imprevisto poteva sorprendere. Non sembrava essere più emozionato di quanto non lo fossero gli orologi a bordo. Solo di rado si faceva vedere sul ponte e non si curava affatto di osservare il celebre Mar Rosso, tanto carico di ricordi e teatro della nascita della storia dell'umanità.

Non si curava di riconoscere le meravigliose città disseminate sulle sue rive, di cui capitava di scorgere all'orizzonte la pittoresca sagoma. Non stava nemmeno a occuparsi dei pericoli del Golfo Arabico, di cui storici antichi come Strabone, Arriano, Artemidoro, Edrisi, hanno sempre parlato con riverenza e sul quale mai in nessun tempo i marinai non si avventuravano senza avere prima offerto sacrifici propiziatori per il proprio viaggio.

Che cosa faceva dunque quell'uomo tanto singolare imprigionato sul *Mongolia*?

Per prima cosa, consumava i suoi quattro pasti giornalieri, senza che rollio o beccheggio potessero disturbare una macchina così perfettamente congegnata. Poi giocava al whist. Ebbene sì! Aveva incontrato giocatori appassionati quanto lui: uno era un esattore di tasse che stava andando a Goa; uno era un ministro, il reverendo Decimus Smith, che tornava a Bombay; l'altro era un brigadiere generale dell'esercito inglese, che raggiungeva il suo corpo a Benares. Questi tre passeggeri nutrivano per il whist la stessa fortissima passione del signor Fogg e trascorrevano ore intere giocando, sempre perfettamente silenziosi come lui. Passepartout, dal canto suo, non era minimamente attratto dal mare. Era sistemato in una cabina a prua e pure lui mangiava con gran puntualità e con molto impegno. A dirla tutta, il viaggio fatto in quelle condizioni non gli dispiaceva più di tanto: ci si adattava e gli andava benissimo! Con un buon alloggio e un vitto anche migliore, visitava il mondo; per non illudersi troppo continuava a ripetersi che quella fantastica situazione sarebbe diventata un ricordo una volta giunti a Bombay.

Il giorno dopo la partenza da Suez, il 10 ottobre, Passepartout aveva incontrato sul ponte quello stesso gentilissimo signore con cui aveva parlato appena sbarcato in Egitto.

"Vi conosco o forse mi sbaglio?" gli aveva detto avvicinandoglisi con un sorriso.

"Siete proprio voi?! Quel gentile signore che mi ha fatto da guida a Suez?"

«In persona" rispose il detective. "Vi riconosco: siete il domestico di quell'inglese un po' bizzarro."

"Esattamente, signor...?"

"Fix."

"Signor Fix! Sono felicissimo di ritrovarvi! E dove state andando?"

"Come voi, vado a Bombay."

"Fantastico! Già altre volte avete fatto questo viaggio?"

"Molte volte" rispose Fix facendosi serio. "Sono un agente della Compagnia Peninsulare."

"Allora conoscete l'India!"

"Direi di sì… abbastanza."

Fix non desiderava esporsi troppo.

"Incredibile l'India, vero?" disse Passepartout.
"Ah, proprio! Ci sono moschee, minareti, templi, fachiri, pagode, tigri, serpenti, bajadere... Ma avrete anche il tempo di vedere tutto di persona."
"Lo spero, signor Fix. Cercate di capirmi: salvo che il mio padrone non sia ammattito, non vorrà passare il tempo a saltare da un piroscafo a un treno e da un treno a un piroscafo con la scusa di fare il giro del mondo in ottanta giorni! No… tutta questa tribolazione si concluderà a Bombay, statene sicuro."
"E Sir Fogg sta bene?" chiese il detective sforzandosi di sembrare naturale. "Non lo incontro mai sul ponte."
"Oh, sta benissimo. Semplicemente, non è un tipo curioso."
"Signor Passepartout, volete sapere che cosa ho pensato? Credo che questa scusa del viaggio intorno al mondo in ottanta giorni potrebbe nascondere una qualche missione segreta... Per esempio, una missione diplomatica."
"Credetemi, signor Fix, non ne so niente. E, a essere sincero, non m'importa nulla di saperlo."
Per quel giorno, la chiacchierata si concluse.
Nei giorni seguenti, però, accadde che Passepartout e Fix s'incontrassero con una certa frequenza. Al detective interessava molto entrare in confidenza con il domestico del signor Fogg perché pensava che gli sarebbe stato utile per la sua indagine. Per raggiungere il suo scopo, Fix invitava spesso Passepartout al bar del *Mongolia* e lì gli offriva qualche bicchierino di whisky che il francese accettava volentieri e poi ricambiava per non restare in debito, convinto che Fix fosse proprio una gran brava persona.
Il *Mongolia* andava con i motori alla massima potenza. Il 13 si profilò all'orizzonte Moka, attorniata dalle sue mura rovinate, sopra le quali si stagliavano i verdeggianti alberi di dattero. Tra le montagne, in lontananza, si vedevano ampie coltivazioni di caffè.
Passepartout ammirò estasiato la città e arrivò addirittura a pensare che quelle mura diroccate e quel che restava di un forte smantellato dessero l'impressione di un'enorme tazzina.

La notte successiva, il *Mongolia* superò lo stretto di Bab-el-Mandeb, un nome arabo che significa 'la porta delle lacrime', e il giorno dopo, il 14, faceva scalo a nord-ovest della rada di Aden, a Steamer-Point. Lì dovevano rifornirsi di combustibile.
L'alimentazione dei motori a tanta distanza dai luoghi della loro area di produzione era un grosso problema.
Al tempo del viaggio di Sir Fogg, la sola Compagnia Peninsulare spendeva per questo ogni anno ottocentomila sterline. Si era reso necessario collocare depositi in porti diversi e nei mari remoti e anche così il carbone veniva a costare ottanta franchi alla tonnellata.
Il *Mongolia* doveva percorrere altre milleseicentocinquanta miglia prima di raggiungere Bombay e doveva restare quattro ore a Steamer-Point per riempire i suoi serbatoi.
Un simile ritardo non poteva provocare nessun danno al programma di Phileas Fogg: era una pausa prevista. D'altra parte, il *Mongolia* anziché arrivare ad Aden il 15 ottobre mattina, vi arrivò il 14 sera. Aveva guadagnato quindici ore!
Sir Fogg e il suo domestico scesero a terra. Il gentleman, anche qui, voleva far vistare il passaporto. Senza dar nell'occhio, Fix lo seguì. Compiuta la formalità del timbro, Phileas Fogg tornò a bordo per riprendere la partita a carte che aveva interrotto.
Invece Passepartout, com'era sua abitudine, iniziò a curiosare nel mezzo di quella folla di parsi, giudei, arabi, europei che tutti insieme costituivano i venticinquemila abitanti di Aden.
Osservò ammirato le fortificazioni che hanno reso famosa questa città come la 'Gibilterra del Mar delle Indie' e anche le grandiose cisterne cui ancora lavoravano gli ingegneri inglesi, duemila anni dopo gli ingegneri di re Salomone.
"Incredibile, davvero incredibile!" mormorava tra sé e sé Passepartout mentre rientrava a bordo. "Se si desidera davvero vedere qualcosa di nuovo bisogna viaggiare: me ne sto pienamente convincendo!"
Alle 18, il *Mongolia* azionò la sua elica nella rada di Aden e di lì a poco solcava il Mare delle Indie. Per la traversata da Aden a Bombay disponeva di centosessantotto ore.

Il mare indiano gli fu favorevole: il vento proveniva da nord-ovest e le vele vennero in aiuto alla spinta del vapore. Il battello, più stabile, rullò di meno. Le poche signore in viaggio tornarono sul ponte con i loro abiti impeccabili e ripresero i canti e le danze.

Il viaggio, dunque, si svolgeva nelle condizioni ideali. Passepartout era veramente felice di potersi intrattenere con Fix, con il quale si trovava proprio a suo agio.

Domenica 20 ottobre, verso mezzogiorno, avvistarono la costa indiana. All'orizzonte, si intravedeva il profilo armonioso delle colline che si stagliavano contro il cielo. Con il trascorrere del tempo, i filari di palme si facevano sempre più distinti. Il piroscafo entrò nella rada delle isole Salcette, Colaba, Elephanta, Butcher e, alle 16 e 30, accostò la banchina di Bombay.

Proprio in quel momento Phileas Fogg concludeva la trentatreesima partita della giornata. Con il suo compagno, grazie a una manovra astuta, dopo ben tredici levate, terminarono la traversata con un gran chelem.

Il *Mongolia* avrebbe dovuto arrivare a Bombay il 22 ottobre e, invece, vi giunse il 20. Dalla sua partenza da Londra, Phileas Fogg aveva guadagnato due giorni, che annotò puntualmente nella colonna dei vantaggi del suo taccuino di viaggio.

10 Passepartout è ben felice di cavarsela con la perdita di una scarpa

Tutti sanno che l'India – che si presenta come un grande triangolo rovesciato, con la base a nord e la punta a sud – ha una superficie di un milione e quattrocentomila miglia quadrate, su cui sono sparsi in maniera disomogenea centottanta milioni di abitanti.

Su una parte di questo immenso paese il governo britannico esercita il suo dominio regale: ha un governatore generale a Calcutta e altri governatori a Madras, a Bombay e nel Bengala; e ha un governatore luogotenente ad Agra. L'India inglese in senso stretto ha una superficie solo di settecentomila miglia quadrate e una popolazione tra i cento e i centodieci milioni di abitanti. Questo comporta che una parte significativa del territorio non è sotto il controllo della Corona e, in realtà, l'indipendenza è ancora assoluta almeno nell'area dell'interno controllata da alcuni rajah violenti e terribili.

Dal 1756 – quando fu fondato il primo insediamento inglese nell'area in cui ora sorge la città di Madras – fino all'anno in cui si svolgono gli avvenimenti narrati e in cui è scoppiata la grande insurrezione dei 'cipayes', la Compagnia delle Indie è stata onnipotente: si è impadronita gradualmente di tutte le province, acquistandole dai rajah in cambio di rendite che non sono quasi mai state pagate, e nominava un proprio governatore generale e tutti i suoi impiegati, sia civili sia militari.

Oggi essa non esiste più e i possedimenti inglesi dipendono direttamente dalla Corona. L'aspetto, i costumi, le ripartizioni tra etnie della penisola indiana sono in continua trasformazione. Tempo fa si viaggiava con tutti i mezzi di trasporto antichi: a piedi, a cavallo, su piccoli carri, in carriola, in palanchino, a spalle d'uomo, in carrozza e chi più ne ha più ne metta. All'epoca della storia raccontata in questo libro, i battelli a vapore percorrevano velocissimi l'Indo e il Gange e una ferrovia, che solca l'India intera, diramandosi in più direzioni, fa sì che Bombay si trovi a soli tre giorni di viaggio da Calcutta.

Il tracciato di questa ferrovia non segue una linea dritta attraverso l'India. In linea d'aria, la distanza è tra le mille e le mille e cento miglia: treni capaci di raggiungere una velocità media la percorrerebbero in nemmeno tre giorni; ma la distanza si è allungata come minimo di un terzo per l'arco che la ferrovia traccia per sfiorare Allahabad, nel nord della penisola.

Ecco, a grandi linee, il tracciato che compie la Great Indian Peninsular Railway: dopo aver lasciato Bombay, attraversa la Salsette, sale sul continente di fronte a Tannah, supera la catena dei Ghâti occidentali, fila in direzione nord-est fino a Burhanpur, incrocia il territorio quasi indipendente del Bundelkhand, avanza fino ad Allahabad, curva verso est, attraversa il Gange a Benares, se ne allontana leggermente e, mentre ridiscende a sud-est, attraversa Burdwan e la città francese di Chandernagore, facendo capolinea a Calcutta.

Alle 16 e 30 i passeggeri del *Mongolia* erano sbarcati a Bombay e alle 20 esatte partì il treno per Calcutta.

Phileas Fogg salutò i suoi compagni, scese dal piroscafo, lasciò a Passepartout una lista di cose da acquistare e gli raccomandò di trovarsi prima delle 20 alla stazione e poi andò verso l'ufficio passaporti con quel suo passo scandito e regolare che lo faceva somigliare al pendolo di un orologio astronomico.

Non si curava per nulla dell'incantevole città di Bombay, non aveva intenzione di visitare nessuno dei molti luoghi che la rendevano famosa: il palazzo municipale, la grandiosa biblioteca, le fortificazioni, le banchise, il mercato del cotone, i bazar, le moschee, le sinagoghe, le chiese armene, la splendida pagoda di Malabar-Hillcon con le due torri poligonali. Niente di tutto questo gli interessava.

Non intendeva ammirare i capolavori di Elephanta, i suoi misteriosi ipogei a sud-est della rada, le grotte Kanherie dell'isola Salsette, ammirevoli resti dell'architettura buddista!

Lasciato l'ufficio dei passaporti, Phileas Fogg se ne andò al ristorante della stazione e ordinò la cena. Il cameriere gli consigliò la fricassea di coniglio che, come diceva il menu, era una specialità del posto. Sir Fogg accettò il consiglio, assaggiò la pietanza e la giudicò pessima. Chiamò il cameriere e fissandolo negli occhi gli chiese: "Questo è coniglio?"

"Sì, signore, coniglio della giungla!"
"Ha miagolato quando lo avete messo in padella?"
"Miagolato! Signore, un coniglio non miagola. Garantisco..."
Senza perdere la pazienza Phileas Fogg lo interruppe: "Non giurate. Ricordate solo che in India, un tempo, i gatti erano animali sacri: bei tempi quelli!"
"Per i gatti, signore?"
"E anche per i turisti."
E Phileas Fogg continuò a cenare come se nulla fosse mentre, dall'altra parte del locale, due occhi attenti non lo lasciavano nemmeno un istante.
Era lo sguardo ostinato del detective.
Fix era sbarcato dal *Mongolia* pochi istanti dopo Fogg ed era andato di corsa agli uffici del Direttore della Polizia di Bombay.
Si era presentato e aveva spiegato la missione che gli era stata affidata e gli sviluppi dell'inseguimento del ladro di banconote, poi chiese se fosse arrivato il mandato d'arresto spiccato a carico di Phileas Fogg.
Il mandato non era stato recapitato e, del resto, non ce n'era proprio stato il tempo. Il detective era allibito. Cercò di ottenere un ordine di arresto provvisorio dal Direttore di Polizia, ma questi rifiutò.
"Non posso certo sostituirmi alle autorità della madrepatria prendendo una simile decisione al posto loro!" rispose in tono categorico. "Sapete bene che se si tratta di libertà personale le usanze inglesi raccomandano di osservare scrupolosamente la legalità. La questione è competenza della polizia di Londra e solo quella può spiccare il mandato che vi serve."
Fix capì che non era il caso d'insistere e si rassegnò.
"Intanto" decise, "non perderò di vista il mio uomo. Sicuramente per ora si ferma a Bombay e c'è tutto il tempo perché il mandato arrivi."
L'agente, tornato sulle orme di Phileas Fogg all'ufficio passaporti, si era quindi rimesso al cauto inseguimento della sua preda. Se Fix ancora si beava nell'illusione che Sir Fogg si sarebbe fermato a Bombay, Passepartout aveva smesso da un pezzo di crederci.
Dopo aver ascoltato gli ultimi ordini che gli erano stati impartiti dal

padrone al momento di sbarcare dal *Mongolia*, il bravo giovane aveva perfettamente inteso che a Bombay sarebbe successo come prima a Parigi e poi a Suez: il viaggio non sarebbe finito lì, anzi sarebbero andati fino a Calcutta e forse pure più lontano.
Iniziava a domandarsi se la scommessa di Sir Fogg non fosse proprio vera, e se lui, Passepartout, che aveva desiderato solo una vita tranquilla, non fosse stato trascinato dal caso a compiere davvero il giro del mondo in ottanta giorni!
Comunque fosse, dopo aver comprato ciò che gli era stato chiesto, si mise a passeggiare per le vie di Bombay. C'era una gran folla in cui, mescolati con europei di ogni nazionalità, si incontravano persiani con le berrette a pan di zucchero, sindi con curiosi copricapo quadrati, bunhias con giganteschi turbanti, armeni avvolti in vesti a strascico, parsi in mitra nera. Si celebrava appunto una festa cara ai parsi o ghebri, discendenti diretti dei seguaci di Zoroastro, nonché più laboriosi, civili, intelligenti e austeri degli indù, la razza cui appartengono i più ricchi commercianti del luogo. La folla si era assiepata per una festa, una sorta di carnevale religioso con processioni e intrattenimenti, celebrato proprio da quei parsi che sono la stirpe più avanzata tra le tante stirpi indù.
Quel giorno, il programma degli spettacoli includeva una danza sacra di bajadere che, avvolte in vaporosi veli rosa trapunti con oro e argento, si muovevano in composta armonia assecondando il ritmo dei tamburi e il suono delle viole.
È facile immaginare come Passepartout fosse stupefatto da quelle curiose cerimonie e divorasse tutto con gli occhi, spalancando le orecchie per ascoltare: il suo atteggiamento e il suo stato d'animo erano come quelli di un bimbo incantato.
Purtroppo per lui e per il suo padrone (di cui rischiò di compromettere il viaggio), la sua curiosità lo spinse oltre ciò che avrebbe potuto permettersi. Infatti, dopo avere guardato a lungo quel carnevale parsi, Passepartout decise di tornare verso la stazione. Ma, quando passò davanti alla meravigliosa pagoda di Malabar-Hill, la curiosità lo spinse a entrare per ammirarla da vicino.

Ignorava però due cose: che in alcune pagode i cristiani tassativamente non possono entrare e che anche i fedeli non possono accedere se non lasciano le scarpe prima della porta. Violare questi due divieti, tra l'altro, era anche un reato contro la legge, visto che il governo inglese fa rispettare puntigliosamente le usanze religiose, per rispetto della fede degli altri e per un'attenta politica d'integrazione.
Passepartout, con assoluto candore e senza nessuna intenzione di sembrare irriverente, entrò nella pagoda come un turista che visita un monumento. E, mentre se ne stava col naso in aria a contemplare i rivestimenti d'oro e d'argento che facevano sfavillare i capitelli delle colonne, si trovò d'improvviso gettato sul sacro suolo.
Tre sacerdoti bramini con lo sguardo furibondo gli si erano gettati addosso: urlando inferociti, gli strapparono le scarpe e le calze, e iniziarono a caricarlo di botte.
Passepartout, che aveva il vantaggio di essere agile e vigoroso, riuscì a rialzarsi in piedi. Con un pugno e un calcio ben assestato buttò a terra due degli avversari impacciati dalle lunghe vesti. Si slanciò fuori della pagoda e, grazie alla velocità delle sue gambe lunghe, riuscì a mettere tra sé e il terzo bramino una certa distanza, anche se quello si era messo al suo inseguimento aizzando una folla urlante.
Alle 19 e 55, solo pochi istanti prima che il treno partisse, Passepartout giunse alla stazione scalzo, senza cappello e pure senza il pacco delle compere fatte, che doveva aver smarrito nel trambusto.
Sulla banchina c'era anche Fix, confuso tra la folla dei viaggiatori che raggiungevano le carrozze in partenza. Era arrivato fin là seguendo Phileas Fogg. Siccome aveva capito che ormai stava per lasciare Bombay, aveva deciso sui due piedi di pedinarlo fino a Calcutta e, se si fosse reso necessario, pure più lontano.
Passepartout non scorse Fix, che stava prudentemente nascosto nell'andirivieni della gente. Ma Fix udì il resoconto che il domestico fece al suo padrone raccontandogli con poche parole quanto era accaduto alla pagoda.
"Voglio proprio credere che un fatto simile non vi capiti mai più" fu la risposta flemmatica che diede Phileas Fogg, mentre prendeva posto nello scompartimento.

Passepartout, triste, a piedi nudi e contuso, seguì il suo padrone senza più dire nulla. Fix era sul punto di salire su un altro vagone, quando gli balenò un pensiero e si trattenne: il suo progetto fu istantaneamente modificato. "No, io resto!" si disse Fix. "Una violazione della legge in territorio indiano... L'ho finalmente in pugno!"
In quel momento il fischio acuto della locomotiva lacerò l'aria.
Il treno scomparve nella notte.

11 Phileas Fogg acquista una cavalcatura a un prezzo stratosferico

Il treno per Calcutta, partito puntuale alle 20, trasportava ufficiali, funzionari civili, commercianti di oppio e di indaco diretti alla costa indiana orientale per affari.
Nello scompartimento di Phileas Fogg, oltre al suo domestico, stava un viaggiatore che sembrava un gentleman e se ne stava seduto in un angolo. Era Sir Francis Cromarty, brigadiere generale, uno dei compagni di gioco del signor Fogg durante il tragitto tra Suez e Bombay e stava raggiungendo il suo reggimento a Benares. Sir Francis Cromarty aveva circa cinquant'anni ed era vissuto in India fin da giovane, tornando molto raramente in Inghilterra in occasione di qualche breve licenza. Alto, biondo, robusto, si era molto distinto durante la repressione dell'ultima rivolta dei 'cipayes' e aveva ormai acquisito nei tratti fisici e nei modi di fare qualcosa che lo assimilava agli indiani di nascita. Conosceva l'India molto bene e avrebbe volentieri fornito tutte le possibili notizie su costumi, storia, governo di quei paesi, se solo Phileas Fogg gliene avesse dato l'occasione. Ma Sir Fogg non poneva domande. In senso stretto, si può dire che non viaggiasse: si limitava a tracciare un percorso circolare, come un peso che seguisse un'orbita proprio attorno alla Terra seguendo le leggi della meccanica.
In quel momento, seduto compostamente nel suo angolo dello scom-

partimento, Sir Phileas Fogg rifaceva mentalmente il calcolo delle ore che aveva trascorso in viaggio da quando aveva lasciato Londra. E avrebbe sorriso di soddisfazione strofinandosi le mani, se fare un qualsiasi movimento inutile fosse stato nella sua indole.

Sir Francis Cromarty scrutava Phileas Fogg e ne studiava i tratti, come già tante volte si era soffermato a fare, mentre teneva in mano le carte, tra una partita e l'altra di whist.

Ormai Sir Francis aveva la certezza che quel compagno di viaggio fosse un tipo originale, anzi il più originale che avesse incontrato in vita sua. Una domanda ancora, però, non aveva trovato risposta: sotto quell'involucro freddo, Phileas Fogg aveva un cuore, un'anima sensibile alla natura e alle sue bellezze e alle aspirazioni più nobili?

A Sir Cromarty il signor Fogg aveva raccontato il progetto del suo viaggio intorno al mondo e in quali circostanze lo avesse cominciato. L'ufficiale inglese vedeva in quella scommessa solo una scelta eccentrica, che non si riprometteva nessuna utilità.

"Mi sembra" considerava tra sé e sé, "che le azioni di ogni uomo per bene dovrebbero essere guidate dal proposito di 'passare, operando bene'. E invece, con tutta la sua flemma, questo gentleman consumerà la vita intera senza combinare niente di buono né per sé né per gli altri."

Un'ora dopo essere usciti da Bombay, il treno aveva attraversato l'isola della Salsette superando i viadotti e ormai correva sul continente.

Alla stazione di Kalyan, lasciò sulla destra la diramazione – che, passando per Ulhasnagar e Poona, porta al sud-est dell'India – e raggiunse la stazione di Pauwell. A quel punto il treno s'addentrò nei tortuosi percorsi tra le montagne dei Ghati Occidentali, rilievi ricchi di trappi e di basalti, con le cime più alte rivestite con foltissimi boschi.

Di tanto in tanto Sir Francis Cromarty e Phileas Fogg scambiavano poche parole ed era solo perché l'ufficiale per primo rianimava la conversazione che poi il suo compagno lasciava cadere. A un tratto, Sir Cromarty disse: "Molti anni fa, in questo tratto del viaggio avreste subito un ritardo che vi avrebbe fatto perdere la scommessa".

"Come mai?"

"La ferrovia si interrompeva ai piedi dei Ghati ed era necessario attra-

versarli con un palanchino a dorso di pony per raggiungere sul versante opposto la stazione di Kandallah."
"Questo ritardo non avrebbe scombussolato il mio programma" replicò Phileas Fogg. "Ho previsto anche la possibilità di ostacoli imprevisti."
"Non potete farmi credere, Sir Fogg, che avevate previsto, per esempio, il pasticcio in cui ha rischiato di mettervi la disavventura del vostro domestico!"
Passepartout, con i piedi avvolti nella sua coperta da viaggio, dormiva profondamente e nemmeno sognava che si stesse parlando di lui.
"Il Governo inglese" riprese Sir Francis "è, giustamente, molto severo con questo genere di reati e ritiene indispensabile che si rispettino le usanze religiose degli Indù. Dunque, se il vostro servo fosse stato arrestato..."
"Se lo avessero arrestato, sarebbe stato condannato e avrebbe scontato la sua pena, poi avrebbe fatto ritorno in Europa" concluse Phileas Fogg senza scomporsi. "Non capisco come la sua vicenda avrebbe potuto ritardare il mio viaggio."
E su queste parole la conversazione s'interruppe.
Nella notte, il treno valicò i Ghati, passò a Nasik e il giorno successivo, il 21 ottobre, si gettò in corsa attraverso un paese quasi pianeggiante, formato dal territorio del Khandeish. La campagna, perfettamente tenuta, era punteggiata di piccoli centri abitati sopra i quali il minareto della pagoda svettava come in Europa il campanile delle chiese europee. Tanti piccoli corsi d'acqua, per lo più affluenti o subaffluenti del Godavari, irrigavano questa fertile area.
Passepartout, che si era svegliato, stava ammirando il panorama ed era così stupito che non riusciva a credere che veramente stava attraversando l'India in un treno della Great Indian Peninsular Railway.
Gli sembrava sbalorditivo. Ma, come era evidente, niente era più reale!
La locomotiva, guidata dalla mano di un inglese e riscaldata dal carbon fossile inglese, lanciava sbuffi di fumo sulle piantagioni di cotone, di caffè, di noci moscate, di garofani e di pepe rosso. Spirali di vapore si stendevano sui palmeti tra i quali si intravedevano dei bungalows, alcuni vihari (una specie di monasteri abbandonati) e meravigliosi templi arricchiti dall'inesauribile fantasia dell'architettura indiana.

Sconfinate distese di terreni si stendevano a perdita d'occhio: giungle certamente popolate da tigri e serpenti intimoriti dal fischio del treno, cui seguivano le foreste tagliate dal percorso della strada e dagli elefanti pensosi guardavano passare il convoglio sferragliante.
Nell'arco della mattina, superata la stazione di Malegaon, i vagoni attraversarono il territorio tristemente noto per essere stato tanto spesso insanguinato dai seguaci della dea Kalì. Non lontano da lì c'erano Ellora e le sue meravigliose pagode e la famosa Aurangabad, la capitale del selvaggio Aureng-Zeb, all'epoca semplice capoluogo di una provincia staccata dal regno del Nizam. Era su questa contrada che dominava Feringhea, capo dei Thug e re degli Strangolatori.
Questi assassini, raccolti in una sfuggente associazione, strangolavano in nome della Dea della Morte vittime di ogni età, senza mai versare una goccia di sangue, e per un lungo periodo non era possibile scavare in alcun punto di quel territorio senza scoprire cadaveri nascosti.
Il Governo britannico è poi riuscito a impedire in buona parte questi omicidi, ma la spaventosa congrega esisteva ancora ed era in attività ancora all'epoca del nostro racconto.
Alle 12 e 30, il treno entrò nella stazione di Burhanpur e Passepartout riuscì a procurarsi a carissimo prezzo un paio di babbucce decorate con finte perle, che sfoggiò subito con gran vanità.
I viaggiatori consumarono uno spuntino veloce e ripresero il viaggio per arrivare alla stazione di Assurghur, dove giunsero dopo avere costeggiato per un breve tratto il Tapti, un piccolo fiume che sfocia nel golfo di Cambay, vicino a Surat.
È necessario ora conoscere i pensieri che occupavano l'animo di Passepartout. Fino a che era giunto a Bombay, aveva voluto e potuto credere che tutto si sarebbe concluso lì.
Adesso, però, che stavano attraversando l'India a tutto vapore, aveva radicalmente cambiato idea e il suo vero temperamento si stava rivelando: gli tornavano alla mente le fantasiose idee che avevano agitato la sua giovinezza e cominciava a prendere sul serio i progetti del suo padrone; incominciava a convincersi della veridicità della scommessa e, quindi, del fatto che avessero davvero intrapreso il giro del mondo

entro un tempo massimo che non potevano assolutamente sforare. Addirittura, si era messo in apprensione per i possibili ritardi e gli incidenti che potevano accadere durante la loro corsa. Si sentiva irrimediabilmente coinvolto nella scommessa e si agitava al pensiero che quel giorno, con la sua imperdonabile leggerezza, avrebbe potuto comprometterne la vittoria. E dunque, molto meno flemmatico di Sir Fogg, Passepartout contava e ricontava i giorni già impiegati in viaggio, malediceva ogni fermata del treno, che chiamava il treno-tartaruga, e tra sé e sé rimproverava a Phileas Fogg per non aver promesso un premio al macchinista. Persuaso che sulla strada sterrata, come su un piroscafo, si potesse superare la velocità regolamentare!

Sul fare della sera, il convoglio s'inoltrò di nuovo fra le vallate e fino all'alba corse sull'orlo di precipizi abissali, su ponti lanciati tra gole rese misteriose dalle ombre. Nonostante il frastuono della corsa, i viaggiatori dormivano ciascuno nel proprio angolo, cullati dal rollio della vettura. Si svegliarono con le prime luci dell'alba.

Sir Cromarty chiese a Passepartout che ore fossero.

"Sono solo le 3" gli rispose il francese, dopo aver sbirciato il proprio orologio.

Del resto quell'orologio, sempre regolato sull'ora di Greenwich, che era ormai a settantasette gradi a ovest, ritardava di quattro ore.

"Capisco! Sono invece le sette" lo corresse Sir Francis.

E ripetendo a Passepartout la stessa osservazione che già gli aveva fatto Fix, tentò di spiegare: "Vedete, giovanotto: quando si viaggia, bisogna regolare l'orologio a ogni nuovo meridiano. E, per la precisione: quando si va verso est, come andiamo noi, cioè verso il sole, bisogna considerare che i giorni si accorciano di quattro minuti per ogni grado che si percorre. E, dunque, l'orologio deve avanzare di sessanta minuti, vale a dire un'ora, ogni quindici gradi. Il contrario dovrebbe accadere quando si viaggia verso ovest: in tal caso, bisognerebbe portare l'orologio indietro di un'ora ogni quindici gradi".

Fu una spiegazione sprecata. L'avesse o meno compresa, il cocciutissimo Passepartout non volle saperne di spostare avanti le lancette del suo orologio, che restò irremovibilmente regolato sull'ora di Londra.

"Una mania innocente, che non fa danno a nessuno!" pensò Sir Francis con un sorriso, e non ne parlò più.

Alle 8 e a quindici miglia dalla stazione di Rothal, il treno si fermò in una radura nel mezzo di una foresta di tamarindi. Vi era stato costruito un piccolo villaggio composto di eleganti bungalows e da qualche capanna di operai. Il conducente scese e, percorrendo la fila dei vagoni, annunciò: "Signori, si scende!"

Phileas Fogg e Sir Francis Cromarty si guardarono sorpresi.

Passepartout, che si era slanciato fuori e aveva corso veloce per un buon tratto di strada oltre il treno, tornò in un batter d'occhio gridando: "Non c'è più la strada ferrata!"

"Che cosa intendete dire?" chiese l'ufficiale.

"Intendo dire che il treno non può proseguire!"

Sir Cromarty decise di scendere a terra per controllare. Phileas Fogg lo seguì senza fretta.

"Si può sapere dove siamo?" domandò nervosissimo l'ufficiale al conducente.

"In una frazione di Kholby" gli fu risposto.

"E come mai ci fermiamo qui?"

"La ferrovia non è stata completata."

"Come? Non è finita!?"

"No. Rimane da costruire il troncone di circa cinquanta miglia da qui ad Allahabad, dove ricomincia l'altro tronco."

"Ma come? I giornali hanno annunciato che la linea era completa ed efficiente."

"Che vi posso dire, signor ufficiale? I giornali hanno sbagliato."

"Ma voi avete venduto i biglietti da Bombay a Calcutta!" insistette Sir Cromarty, che cominciava ad inquietarsi.

"Lo so" replicò il conducente, calmissimo. «Del resto, la maggior parte dei viaggiatori sa di questa interruzione della linea e sono consapevoli di doversi trovare un altro mezzo di trasporto da Kholby ad Allahabad."

Sir Francis era furibondo; Passepartout avrebbe volentieri ammazzato il povero conducente, anche se il poveretto non aveva nessuna colpa, e non osava guardare in viso il suo padrone.

Imperturbabile, invece, Phileas Fogg disse come se nulla fosse: "Se è di vostro gradimento, Sir Cromarty, possiamo provvedere a un mezzo che ci conduca ad Allahabad".
"Ma, Sir Fogg, non è forse un ritardo che potrebbe recare gravi svantaggi ai vostri interessi?"
"No, era previsto."
"Come?! Sapevate che..."
"Per nulla, Sir. Ma sapevo che un qualsiasi ostacolo avrebbe potuto sorgere prima o poi sulla mia strada. Nulla è compromesso: ho due giorni di anticipo, che posso sfruttare a mio vantaggio. C'è un piroscafo in partenza da Calcutta per Hong Kong il 25 a mezzogiorno. Oggi è il 22 e giungeremo in tempo."
Non c'era nulla da ribadire a una risposta data con una tale, matematica, sicurezza. Del resto, era purtroppo vero che i lavori della ferrovia si fermavano in quel punto. I giornali sono come certi orologi che hanno la mania di essere in anticipo e avevano annunciato il completamento della linea con troppa fretta. La maggior parte dei viaggiatori sapeva dell'interruzione della strada: scendendo dal treno, si erano impadroniti di ogni mezzo reperibile in quel villaggio: palkighari a quattro ruote, carrette trainate da zebù (specie di buoi con la gobba), carri da viaggio che sembravano pagode ambulanti, palanchini, cavallucci e via discorrendo. E così Sir Fogg e Sir Francis Cromarty, dopo avere ispezionato tutto i bungalows, tornarono senza avere trovato nulla.
"Andremo a piedi" dichiarò Phileas Fogg.
Passepartout fece una smorfia che la diceva lunga, mentre guardava scettico le magnifiche pantofole, che erano assolutamente inadeguate. Per fortuna anche lui si era messo a cercare in giro e dopo un istante di tentennamento azzardò: "Signore, penso di aver trovato io un mezzo di trasporto".
"Quale?"
"Un elefante: è di un indiano che abita poco distante da qui."
"Andiamo a vedere quest'elefante."
Sir Fogg, Sir Francis e Passepartout trovarono l'indiano nella sua capanna, vicina a un recinto chiuso da alte palizzate. Nel recinto c'era un elefante.

Quando i visitatori lo chiesero, l'indiano li portò a vedere l'animale. Si trovarono davanti un magnifico pachiderma, in parte addomesticato.
"Lo allevo per farne una bestia da combattimento" spiegò l'indiano, dicendo che aveva cominciato ad addestrare il suo elefante, dandogli da mangiare per tre mesi solo zucchero e burro per indurlo a quel furore parossistico che in lingua indù si chiama mutsh.
"Questa alimentazione" aggiunse l'indiano, "può sembrare la meno consigliabile per ottenere questo risultato, ma noi allevatori la usiamo con successo.»
Per fortuna, l'elefante – che si chiamava Kiunì – era stato costretto da poco a quel regime alimentare e il mutsh non si era ancora manifestato. In mancanza di alternative, sapendo del resto che i pachidermi sono capaci di tenere a lungo un'andatura molto rapida, Phileas Fogg decise di utilizzare quel mastodontico bestione.
Ma gli elefanti in India cominciavano a essere rari ed erano considerati molto preziosi. I maschi in particolare, poiché erano gli unici adatti al combattimento nei circhi e perciò erano molto ricercati. D'altra parte, in cattività non si riproducevano e, quindi, per procurarsene l'unica soluzione era andarne a caccia nella foresta. Non c'era da stupirsi, quindi, se l'indiano rifiutò la proposta di Fogg di noleggiargli l'elefante. Fogg insistette e offrì un prezzo spropositato: dieci sterline all'ora. Ma non ottenne nulla. Giocò al rialzo fino a quaranta sterline, ma l'indiano non cedeva. Phileas Fogg arrivò allora a offrirsi di acquistare l'elefante.
"Vi pago mille sterline, una sull'altra" propose all'allevatore.
"Non voglio vendere" rispose astuto l'indiano, che aveva ormai fiutato la possibilità di un consistente affare.
L'ufficiale, a quel punto, trasse in disparte il compagno di viaggio e sottovoce gli suggerì: «Sir Fogg, vi prego di riflettere prima di aggiungere una sola sterlina a un'offerta tanto spropositata!"
"Non preoccupatevi" gli rispose gentilmente Phileas Fogg. "Non agisco mai senza aver prima riflettuto. Per me, in fin dei conti, si tratta di vincere una scommessa di ventimila sterline e questo elefante mi serve. Perciò, se lo pagassi anche dieci volte più di quel che vale, lo avrò."
Detto questo, Fogg tornò dall'indiano, il cui sguardo infiammato

dall'avidità diceva chiaramente che per lui ormai era solo questione di prezzo. Il gentleman arrivò a offrirgli milleduecento sterline, poi millecinquecento e poi milleottocento. Passepartout, che di solito aveva un colorito acceso, era pallido per l'emozione.
"Duemila sterline!" concluse Phileas Fogg. "Ed è la mia ultima offerta. Vendete?"
"L'elefante è vostro" concluse l'indiano.
Passepartout non riuscì a trattenersi.
"Per le mie babbucce!" esclamò. "Questo vuol dire aumentare il costo della carne di pachiderma! Il mio padrone può ben dire d'aver comprato una cavalcatura da rajah!"
La questione, ora, era trovare un mahut, cioè un conducente di elefanti. Per fortuna non fu un problema di difficile soluzione. Un giovane parsì dal volto intelligente e calmo offrì i propri servigi. Sir Fogg accettò, garantendo una paga così consistente che ebbe l'effetto di raddoppiare all'istante l'intelligenza del mahut.
L'elefante venne tolto dal recinto. Il parsì, che conosceva bene il proprio mestiere, coprì il dorso dell'animale con una pesante gualdrappa e dispose ai fianchi due specie di sedie a lettiga, molto scomode.
Phileas Fogg pagò l'allevatore con banconote nuove di zecca tolte dal prezioso sacco. A Passepartout sembrava che gli stessero cavando il sangue!
Poi Sir Fogg disse cortesemente a Sir Cromarty: "Vi posso offrire un passaggio sul mio elefante fino alla stazione di Allahabad. Potete accettare? Un viaggiatore in più non può stancare un animale tanto gigantesco".
L'ufficiale accettò subito e con entusiasmo, e prese posto in una delle due lettighe. Phileas Fogg si sistemò nell'altra. Una volta sistemate nel sacco da viaggio le provviste di cibo che aveva acquistato a Kholby, Passepartout si mise a cavalcioni sull'ampia groppa di Kiunì, fra il suo padrone e l'ufficiale. Il parsì s'appollaiò sul collo dell'elefante. Il pachiderma, incitato dal fischio del mahut, partì a trotto sostenuto e s'addentrò nella folta foresta di Latàni per un sentiero solitario.

12 Phileas Fogg e i suoi compagni si avventurano nelle foreste dell'India, ed ecco quel che accadde

Il mahut, che conosceva benissimo quei luoghi, sostenne che attraversando la foresta avrebbero accorciato il percorso di una ventina di miglia; e i viaggiatori si affidarono alla sua esperienza.

Avanzavano attraverso le selve quasi impenetrabili che ricoprivano i fianchi dei monti Vindhya. L'elefante trottava rigido e questo scuoteva energicamente Phileas Fogg e Sir Francis, infilati sino al collo nelle loro sedie a barella; ma sopportavano la situazione con vera flemma britannica, riuscendo addirittura a scambiare qualche parola anche senza vedersi in faccia.

Passepartout, seduto sul dorso del pachiderma, prendeva direttamente i colpi e i contraccolpi dell'andatura e doveva tenere la lingua incollata ben al palato, perché se gli fosse finita tra i denti se la sarebbe tranciata di netto. Ora sbalzato contro il collo dell'elefante, ora buttato sulla groppa, il giovanotto volteggiava tanto che sembrava un acrobata al trapezio. Ma, anche tra quei salti da salmone, rideva e scherzava; e, di tanto in tanto, toglieva dal sacco qualche zolletta di zucchero che Kiunì, rivelatosi molto intelligente, afferrava con l'estremità della proboscide senza perdere un solo passo del suo trotto veloce.

Dopo due ore di avanzata, il parsì fermò l'elefante per un lungo riposo. I viaggiatori scesero. Kiunì divorò un fascio di arbusti e bambù e si dissetò da una pozza.

La sosta fu molto apprezzata da Sir Cromarty, che si sentiva le ossa rotte. Phileas Fogg, al contrario, sembrava fresco come se fosse appena uscito dal più comodo dei letti.

"Ma è fatto di ferro il vostro padrone?" disse l'ufficiale a Passepartout, guardando il gentleman con ammirazione ma pure con invidia.

"Di ferro e fuso in un solo pezzo!" gli rispose il domestico, che intanto si era dato da fare per preparare qualcosa per la colazione.

A mezzogiorno la comitiva riprese il viaggio. Il paesaggio assumeva man mano un aspetto più desolato. Alla fitta foresta erano seguiti boschi di tamarindi e di palmizi nani, e poi vaste pianure irte di arbusti striminziti e disseminate di massi. Erano giunti nell'alto Bundelkund, paese poco frequentato dai viaggiatori e abitato da una popolazione fanatica, che si ostinava nelle pratiche più superstiziose e crudeli della religione indù. Là il dominio degli inglesi non riuscì mai a stabilirsi definitivamente; e, nei covi inaccessibili tra le gole dei Vindhya, rajah indipendenti avevano conservato invariato il dominio dei loro regni. Molte volte Phileas Fogg e i suoi compagni intravidero bande di indù dall'aspetto selvaggio che facevano gesti d'ostilità quando scorgevano in lontananza il pachiderma che avanzava veloce. Per quanto possibile, il parsì evitava quegli incontri che sapeva potevano diventare pericolosi. Frotte di scimmie urlanti fuggivano da ogni parte e la loro visione divertiva enormemente Passepartout.

Tra i molti altri pensieri del domestico, ce n'era uno che lo assillava senza tregua. Che cosa ne avrebbe fatto Sir Fogg dell'elefante, una volta che fossero giunti ad Allahabad? Lo avrebbe portato con sé? Impensabile! Il prezzo del trasporto sarebbe stato ancora più alto del costo d'acquisto. E, allora, Kiunì sarebbe stato venduto o rimesso in libertà?

"Certo" pensava il domestico nella sua semplicità, "una bestia pagata a così caro prezzo merita qualche riguardo. E se forse il signor Fogg lo regalasse proprio a me? Sarei in grande imbarazzo..."

Verso le 20, avevano oltrepassato la catena principale dei Vindhya e i viaggiatori sostarono ai piedi del versante settentrionale, in un bungalow abbandonato.

"Abbiamo percorso circa 25 miglia" li informò il mahut. "Siamo a metà strada per giungere ad Allahabad. Se ci rimetteremo in cammino all'alba di domani, arriveremo prima del tramonto."

La notte era fredda. Fuori dal bungalow il parsì accese un fuoco di sarmenti, al cui calore cercarono tutti conforto. Cenarono con le provviste comperate a Kholby e con le banane raccolte nella foresta.

I viaggiatori erano stanchi e la conversazione, cominciata a frasi smozzicate, si concluse rapidamente con un fragoroso russare. Solo l'indù restò sveglio accanto a Kiunì, che si era addormentato in piedi, appoggiato al tronco d'un albero.

Il silenzio della notte era interrotto solo di quando in quando dal ruggito di un ghepardo o di una pantera, seguito dalle risate stridule delle scimmie. I carnivori si accontentarono di far sentire i loro richiami, ma non s'azzardarono ad avvicinarsi al bungalow davanti al quale il parsì mantenne il fuoco acceso fino all'alba. Sir Francis Cromarty dormì di un sonno profondo, da militare coraggioso e abituato alle fatiche. Passepartout dormì di un sonno agitato, come se in sogno rifacesse le capriole che aveva dovuto sopportare da sveglio. Quanto a Sir Fogg, riposò tranquillo come se fosse stato nella sua tranquilla casa di Saville Row.

Alle 6 si rimisero in cammino. La guida contava di raggiungere la stazione di Allahabad entro quella stessa sera. In quel modo, Sir Fogg avrebbe perso solo una parte delle 48 ore di vantaggio che aveva accumulato dall'inizio del viaggio.

Kiunì riprese la sua andatura veloce e discesero le ultime rampe dei Vindhya. Verso mezzogiorno, la guida aggirò la borgata di Kallenger, situata sul Ken, che è uno dei subaffluenti del Gange. Il parsì evitava sempre accuratamente i luoghi abitati, poiché considerava più sicure le campagne deserte che connotano le prime depressioni del bacino del Gange. La stazione di Allahabad era a meno di dodici miglia a nord-est. Si fermarono per una pausa in un boschetto di banani, i cui frutti, 'succulenti come crema', stando alla definizione dei viaggiatori, furono molto apprezzati.

Alle 14, la guida li condusse al riparo di una fitta foresta, che si allargava per molte miglia, così che gli alberi li nascondessero a occhi indiscreti. A ogni modo, fino ad allora non avevano fatto nessuno spiacevole incontro, e sembrava che il viaggio si potesse concludere senza incidenti, quando all'improvviso l'elefante, dando qualche segno di inquietudine, si arrestò. Erano circa le 16.

"Che succede?" chiese Sir Francis Cromarty, alzando la testa al disopra della sua portantina.

"Non ne ho idea, signor ufficiale" gli rispose il parsì, con l'orecchio teso in direzione di un mormorio confuso che proveniva dal folto della macchia. In pochi minuti, il rumore divenne più distinto: un miscuglio di voci umane e di note musicali prodotte da diversi strumenti, ancora in lontananza.

Passepartout aveva gli occhi attenti e le orecchie tese. Sir Fogg, da par suo, attendeva senza fretta e senza pronunciare nemmeno una parola.

Il parsì saltò a terra con un agile balzo, legò l'elefante a un albero e con fare guardingo si addentrò nella macchia per spiare. Pochi minuti dopo arrivò e riportò: "Una processione di bramini è diretta verso di noi. Cerchiamo di non farci scorgere, se è possibile".

Il mahut slegò l'elefante e lo guidò in un recesso dove la foresta era più fitta, raccomandando ai viaggiatori di non scendere. Egli medesimo si tenne pronto a balzare in groppa alla sua cavalcatura se fosse stato necessario prendere la via della fuga.

"In questo nascondiglio" li rassicurò l'indù, "è praticamente impossibile che ci scoprano."

Il fogliame, infatti, formava un fitto schermo.

Attesero per qualche minuto. Man mano che lo strepito dissonante delle voci e degli strumenti s'avvicinava, canti monotoni si confondevano con il suono di tamburi e cimbali.

In capo a poco, la testa della processione apparve sotto la volta degli alberi, a non più di cinquantina passi dal piccolo gruppo acquattato.

Phileas Fogg e i suoi compagni poterono osservare la lenta sfilata attraverso il fitto intrico dei rami.

In prima fila avanzavano sacerdoti indù con alti copricapi neri simili a mitre e lunghe vesti ricche di gale. Procedevano circondati da una torma di uomini, donne e ragazzi che salmodiavano un canto funebre sul ritmo dei tam-tam e dei cimbali. Dietro di loro veniva un gigantesco carro, le cui ruote erano incise per sembrare serpi attorcigliate, tirato da due coppie di zebù ricoperti con sfarzose gualdrappe.

Sul carro torreggiava un'orribile statua. Raffigurava una figura femminile con quattro braccia, il corpo tinto con un rosso sanguigno, gli occhi sbarrati, i capelli ribelli, la bocca storta in un ghigno. Il collo era avvolto da una collana di teschi e i fianchi erano cinti da una cintura di mani mozzate. Poggiava i piedi sulla figura di un gigante abbattuto e col capo tagliato. Sir Cromarty riconobbe quella statua.

“La Dea Kalì!...” mormorò. «La Dea dell’amore e della morte.”
“Della morte, sì, sono d’accordo, ma dell’amore non mi pare proprio” dichiarò Passepartout. “Che brutta visione!”
Il parsì fece cenno a tutt’e due perché tacessero.
Attorno alla statua si muovevano con mille contorcimenti vecchi fakiri il cui corpo era rigato con strisce color ocra e minutamente coperto da tatuaggi.
Alcuni bramini, placidi e maestosi nello sfarzo del loro costume orientale, avanzavano dietro ai fakiri e trascinavano una donna che si reggeva a fatica. Era una donna giovane e bellissima, con la carnagione bianca come un’europea. Era sovraccarica di gioielli che le adornavano il capo, il collo, le orecchie, le braccia, le mani, persino gli alluci dei piccoli piedi delicati. Il busto era fasciato da una vaporosa tunica a piccole lamine d’oro fissate su mussola.
Con un contrasto così stridente da far ghiacciare il sangue, dietro a quella creatura delicata avanzava un nutrito gruppo di guardie armate che tenevano alla cintola sciabole e pistole. A braccia, sopra un palanchino, portavano il cadavere di un uomo. Era il corpo di un vecchio rajah che, come in vita, era adorno di tutti gli sfarzosi segni del suo potere regale: il turbante trapunto di perle, la veste intessuta di seta e oro, la cintura di cashmere e diamanti, le meravigliose armi da principe indiano.
I musicisti seguivano il feretro, chiudendo il corteo, e levavano lamentazioni acute con uno strepito ancora più assordante del rullo dei tam-tam. Sir Francis Cromarty osservava tutto quello sfarzo pomposo con aria profondamente rattristata. Poi, rivolgendosi al parsì, sussurrò: “Un sutty!”
L’indù fece cenno di sì con il capo e di nuovo chiese il silenzio portando l’indice alle labbra. La lunga processione si stava ormai allontanando lungo il sentiero, snodandosi sotto l’alta volta dei rami fino a che la sua coda scomparve nella profondità della foresta.
Gradualmente si spense l’eco delle salmodie. Si sentì un ultimo scoppio di grida lontane. Poi tutto morì nel silenzio.
Phileas Fogg, che aveva sentito le parole pronunciate da Sir Francis

Cromarty, appena la processione scomparve, chiese: "Che cos'è un sutty?"
"Un sacrificio umano, ma volontario. Quella giovane donna che avete visto sostenuta dai bramini verrà bruciata viva all'alba di domani."
"Ah, scellerati!" gridò Passepartout, che non riusciva più a trattenere la propria indignazione.
"E il cadavere che le guardie portavano?" domandò Phileas Fogg.
"È del principe suo marito" rispose l'indù. "Si tratta di un rajah indipendente del Bundelkund."
Phileas Fogg tacque per qualche istante e poi, senza che la sua voce tradisse la benché minima emozione, aggiunse: "In India sono ancora vive usanze così crudeli e gli inglesi non sono riusciti a sradicarle?»
"Veramente" rispose Sir Francis Cromarty, "nella maggior parte dell'India non si compiono più questi crudeli sacrifici. Soltanto il territorio del Bundelkund, sul versante settentrionale dei monti Vindhya, è rimasto fuori dell'area di influenza inglese e tuttora vi si mantengono usanze fanatiche e barbare, come questa di bruciare la vedova sul rogo dove arde il cadavere del marito."
"Oh, poveretta!" mormorò Passepartout. "Bruciata viva!"
"Sì" riprese l'ufficiale. "Verrà bruciata, ma voi non potete nemmeno immaginare in quali misere condizioni verrebbe ridotta dai suoi stessi congiunti, la donna che riuscisse a evitare la morte. I capelli le verrebbero rasati, le darebbero da mangiare appena qualche manciata di riso e verrebbe scacciata come una creatura immonda, non diversamente da un cane scabbioso. Proprio la prospettiva di un'esistenza tanto orribile spinge spesso le poverette a preferire la fine sulla pira funebre, molto più di quanto non possa farlo l'amore per il coniuge o il fanatismo religioso. A volte, però, davvero il sacrificio è volontario ed è necessario il deciso intervento del Governo per impedirlo. Qualche anno fa abitavo a Bombay e accadde che una giovane vedova venne dal Governatore per chiedere l'autorizzazione a farsi bruciare con il corpo del marito. Come potete ben immaginare, il Governatore glielo rifiutò. La vedova, allora, lasciò la città e si rifugiò alla corte di un rajah indipendente e così poté sacrificarsi come desiderava."

Mentre l'ufficiale raccontava, il parsì scuoteva la testa e, quando il racconto fu concluso, esclamò: "Di sicuro, il sacrificio che avverrà domani all'alba non sarà volontario!"
"Come fate a saperlo?" chiese Sir Cromarty.
"Perché questa è una storia che tutti nel Bundelkund conoscono."
"D'altro canto, ormai deve essere rassegnata. Mi è sembrato che la donna non opponesse resistenza" fece notare Sir Cromarty.
"Ah, signore, questo dipende esclusivamente dal fatto che l'hanno confusa con il fumo dell'oppio e della canapa!"
"E dove la portano?" volle sapere Sir Cromarty.
"Alla pagoda di Pillaji, a circa due miglia da qui. Là trascorrerà la notte in attesa del momento di essere sacrificata."
"E quando avrà luogo il sacrificio?"
"Domani, al nascere del giorno."
Detto questo, il mahut fece uscire l'elefante dal folto della vegetazione in cui l'aveva fatto rifugiare e si arrampicò sul collo del pachiderma. Mentre stava per incitare il bestione, Sir Fogg lo fermò e, rivolgendosi all'ufficiale, disse con aria naturalissima: "E se salvassimo quella donna?"
"Salvare la donna?! Sir Fogg, che cosa state dicendo?!"
"Ho ancora dodici ore di vantaggio e posso impiegarle per questo."
"Oh! Ma voi... dunque... Voi siete un uomo di gran cuore, Sir Fogg!" balbettò sir Francis Cromarty.
"Qualche volta" rispose semplicemente Phileas Fogg. "Quando ne ho il tempo."

13 Passepartout scopre una volta di più che la fortuna sorride agli audaci

Il progetto di Phileas Fogg era audace, zeppo di difficoltà e forse addirittura impossibile. Sir Fogg stava per rischiare la sua vita (o almeno la sua libertà) e quindi anche il successo della sua scommessa, ma non per questo esitò. Del resto, trovò in Sir Francis Cromarty un aiutante entusiasta. Quanto a Passepartout, era prontissimo e si mise a disposizione per qualsiasi cosa. La generosa proposta formulata dal gentleman lo esaltava. Il bravo giovanotto era felice di avere scoperto che sotto l'apparenza glaciale c'erano un cuore e un animo sensibile. Iniziava a voler bene a Phileas Fogg.

I tre impavidi, ora, dovevano appurare l'atteggiamento che il mahut avrebbe tenuto verso il loro piano. Non era da escludere che avrebbe preferito stare dalla parte degli indù. A ogni buon conto, anche se non avesse voluto aiutarli bisognava almeno garantirsi la sua neutralità.

Sir Cromarty decise di esporre la cosa con franchezza.

"Signor ufficiale" gli rispose l'indiano, "io sono parsì e quella donna è parsì! Contate pure su di me."

"Bravo mahut!" disse Phileas Fogg.

L'indiano continuò: «Tuttavia, è bene che con voi sia chiaro: non solo rischiamo la vita ma, se cadessimo nelle sgrinfie di quei fanatici, ci esporremmo al rischio di orribili supplizi. Pensateci bene".

"Abbiamo già riflettuto» rispose Fogg. "Dobbiamo solo aspettare che cali la notte per entrare in azione."

"Lo penso anch'io" rispose la guida.

Il bravo indù a quel punto fornì alcune notizie sulla vittima: era un'indiana famosa per la sua bellezza, di razza parsì, figlia di agiati commercianti di Bombay. In questa città le era stata impartita un'educazione inglese e, per le sue maniere e quanto alla sua istruzione, la si sarebbe potuta credere europea. E si chiamava Auda. Dopo aver perso tutt'e due i genitori, si era dovuta suo malgrado sposare con quel vecchio rajah del Bundelkung e solo tre mesi più tardi era

diventata vedova. Poiché conosceva la sorte che l'aspettava, aveva tentato la fuga, ma era stata quasi immediatamente ritrovata e i parenti del rajah, che avevano tutto l'interesse che morisse, l'avevano votata al sacrificio cui ormai sembrava non potesse più sfuggire.
Questo racconto non poteva far altro che rafforzare ancora di più in Phileas Fogg e nei suoi compagni la loro generosa intenzione.
Fu deciso che il mahut avrebbe guidato l'elefante il più possibile vicino alla pagoda di Pillaji.
Mezz'ora più tardi fecero una sosta nella foresta, a non più di cinquecento passi dal tempio indiano, che era nascosto fra l'intrico della macchia e perciò non si vedeva, anche se giungevano nitide le grida dei fakiri che erano stati messi a guardia della vittima.
Protetti dall'ombra della vegetazione, i tre europei e l'indiano si radunarono per discutere del modo per raggiungere la prigioniera.
Il parsì conosceva bene la pagoda di Pillaji e suggerì: "Quando tutte le guardie saranno ubriache, potremmo penetrare da una delle porte; oppure bisognerà aprire una breccia nel muro. Io so qual è il lato da cui è più facile accedere: è quello vicino al grande cespuglio di felci. Da quella parte, la pagoda non è mai sorvegliata perché non ha né porte né finestre. Il punto esatto lo potremo scegliere quando ci saremo avvicinati abbastanza. Quel che è certo è che la dovremo rapire prima dell'alba, cioè prima che la prelevino per condurla al sacrificio. A quel punto, nessun intervento umano potrebbe più a salvarla".
Le ombre della notte erano già calate sulla foresta quando, attorno alle 18, il coraggioso gruppetto si mosse per esplorare i paraggi della pagoda. Le grida dei fakiri si erano da poco acquietate. Alcuni di quei fanatici si erano pesantemente addormentati per effetto dell'hang, un oppio liquido e misto con un infuso di canapa. Non poteva esserci momento più opportuno per addentrarsi nel tempio.
Il parsì faceva da guida ai compagni e avanzava attraverso la foresta con il passo agile e silenzioso di un ghepardo a caccia.
Dopo dieci minuti di quella marcia arrivarono a una spianata sulla riva di un fiume. Là, al chiarore di alcune torce che erano state piantate a terra su aste di ferro, si vedeva il profilo lugubre della catasta

pronta per il rogo. Il legno di sandalo era stato cosparso e imbevuto di essenze e per questo emanava un profumo penetrantissimo.
Sulla piattaforma che era stata appoggiata alla cima della catasta era stato adagiato il corpo del rajah, in attesa di essere bruciato insieme con la sua vedova. A cento passi dalla spianata, biancheggiava la pagoda e anche nell'ombra si vedeva la sua guglia traforare le chiome degli alberi.
"Venite!" disse la guida esortando sottovoce i compagni.
Ancora più cauti di prima, gli esploratori s'addentrarono tra le alte erbe. Il silenzio era interrotto soltanto dal sussurro del vento che faceva stormire i rami. Ai bordi dello spiazzo che si allargava davanti alla pagoda, il parsì si fermò. Anche qui splendeva il chiarore di numerose torce. A terra, qua e là, si vedevano gruppi di uomini che si erano disordinatamente abbandonati al sonno. A prima vista poteva sembrare un campo di battaglia cosparso di morti.
"I fakiri sono stati vinti dall'ubriachezza" sussurrò il parsì, "ma le guardie del rajah vegliano! Ed è molto probabile che facciano lo stesso i sacerdoti dentro il tempio."
La luce fumosa delle torce rischiarava, sul fondo dello spiazzo, la sagoma confusa del tempio di Pillaji davanti alle cui porte incrociavano sentinelle che tenevano la sciabola sguainata.
Il parsì capì che forzare l'ingresso della pagoda sarebbe stato molto pericoloso e mormorò ai compagni: "Torniamo indietro".
Anche gli altri, come lui, avevano intuito la difficoltà dell'impresa e, senza fiatare, lo seguirono.
Ma, appena la pattuglia di avventurosi fu di nuovo riparata nel cuore della foresta, Sir Cromarty si fermò e disse: "Sono solo le 20. Non possiamo escludere che, più tardi, anche le guardie cedano al sonno".
"In effetti, non lo possiamo escludere" confermò l'indù. "Ci conviene aspettare qui e poi ritentare più tardi l'impresa."
Phileas Fogg e i suoi compagni si stesero ai piedi di un albero e rimasero ad aspettare.
Le ore scorrevano lente. Di tanto in tanto, l'indù si alzava e andava in esplorazione fino al limitare della selva.

Le guardie del rajah vegliavano sempre al lume delle torce e dalle finestre della pagoda filtrava un vago chiarore. Aspettarono a quel modo fino a mezzanotte, senza che nulla cambiasse.
"Mi sembra evidente che le guardie non si sono esposte al rischio di ubriacarsi con l'hang" considerò il parsì. "Dobbiamo escogitare un nuovo piano e penetrare per un'apertura che noi stessi praticheremo nei muri della pagoda."
Sir Francis fece notare: "Dovremmo solo capire se i sacerdoti vegliano accanto alla loro vittima con la stessa cura di cui stanno dando prova i soldati alle porte del tempio!"
"Penseremo anche a loro" gli rispose l'indù, che aggiunse con decisione: "È meglio partire subito. Seguitemi!"
Compirono un giro abbastanza lungo per arrivare alle spalle della pagoda e riuscirono a raggiungerla senza incontrare nessuno. Come aveva detto il parsì, su quel lato non era stato collocato nessuno di guardia poiché non vi si aprivano né porte né finestre.
La notte era diventata un'impenetrabile cappa di oscurità.
La luna, al suo ultimo quarto, era già tramontata e nubi minacciose ingombravano l'orizzonte.
Ad accrescere l'oscurità contribuiva anche il fitto degli alberi altissimi.
Essere arrivati alla base del muro, però, non bastava: era indispensabile riuscire a praticare un'apertura. Per questa operazione, Phileas Fogg e i suoi compagni non avevano a disposizione nient'altro che i loro coltelli da tasca. Per fortuna, i muri del tempio erano costruiti con un misto di mattoni e di legno che non opponeva una gran resistenza. Una volta tolto il primo mattone, gli altri sarebbero stati facilmente rimossi così da ottenere un'apertura larga almeno due piedi.
Procedevano alacremente e il lavoro era già a buon punto. Otto mani robuste, sostenute dal vigore di un'ansia generosa, allargavano a poco a poco la breccia e cercavano di fare il minor rumore possibile.
A un tratto, però, dall'interno della pagoda echeggiò un grido al quale risposero altre voci dall'esterno.
I quattro uomini sospesero simultaneamente il lavoro e trattennero

il fiato guardandosi. I loro sguardi esprimevano un identico pensiero: qualcuno li aveva sentiti e i sacerdoti avevano dato l'allarme! La prudenza consigliava di allontanarsi immediatamente.
Strisciando nell'erba, il parsì e i compagni si cacciarono a cercare un nascondiglio nel cespuglio delle felci. Là si prepararono ad aspettare, con la speranza che l'allarme cessasse e, in quel caso, pronti a riprendere il loro lavoro. Alcune guardie, purtroppo, non tardarono ad apparire alle spalle della pagoda e la circondarono così che fosse impossibile avvicinarsi. Non c'era più speranza di raggiungere la donna. I quattro audaci lo capirono subito.
"Maledizione! E adesso come potremo salvarla?" sibilò Sir Francis serrando i pugni.
Passepartout era fuori di sé e il mahut si dava un gran da fare per tranquillizzarlo. Imperturbabile, Phileas Fogg aspettava senza lasciar trasparire nessun sentimento.
"Non ci resta che ritirarci" consigliò il parsì.
"Aspettate" gli rispose Phileas Fogg. "Basta che io mi trovi ad Allahabad domani prima di mezzogiorno."
"Ma che cosa sperate ancora, Sir Fogg?!" chiese Sir Francis. "Fra qualche ora spunterà il sole, e..."
"L'occasione che aspettiamo, e che adesso ci sfugge, potrebbe ripresentarsi all'ultimo momento."
L'ufficiale avrebbe dato qualcosa per poter leggere negli occhi imperscrutabili di quell'inglese sfuggente. Forse Phileas Fogg intendeva, al momento del sacrificio, precipitarsi sui carnefici e strappare dalle loro mani la donna? Sarebbe stata una follia, e come si poteva pensare che quel gentleman fosse pazzo fino a quel punto?
Comunque, Sir Francis accettò non senza discutere di rimanere ad assistere alla terribile scena del rogo. La guida, intanto, non lasciò i compagni dove si erano rifugiati ma li portò fino al bosco di fronte alla pagoda. Là, da un ottimo nascondiglio naturale, avrebbero potuto osservare quel che succedeva sulla spianata del tempio.
Passepartout, agile come un acrobata, andò subito ad appollaiarsi fra i rami. Rimuginava su un'idea che chissà come gli era sbocciata in

testa e gli si era ostinatamente piantata lì. Se qualcuno avesse potuto ascoltare il suo silenzioso dialogo interiore, si sarebbe stupito di sentire pensieri come questi: "Che pazzia!... Ma perché no, in fondo? È una possibilità, forse la sola che c'è. Con fanatici come questi non si scherza!..."

A poco a poco, Passepartout iniziò a lasciarsi scivolare fino ai rami più bassi, che si curvavano verso terra. Lì continuò a riflettere, studiando con attenzione il paesaggio intorno.

Trascorrevano le ore e, alla fine, anche se l'oscurità restava profonda, si annunciarono le prime luci dell'alba.

La folla addormentata fu riscossa come da un'improvvisa resurrezione. I gruppi di quelli che si erano addormentati sulla spianata della pagoda si animarono e si misero in piedi. Il tam-tam ricominciò lugubremente a rullare. Dentro e fuori dal tempio, scoppiarono canti e grida. Era arrivata l'ora in cui la vittima doveva morire.

Infatti, le porte della pagoda si spalancarono e lasciarono uscire un fiotto di luce vivida. In quel chiarore apparve ben riconoscibile il gruppo dei sacerdoti indù che trascinavano la giovane, che ora non era più inerte come il giorno prima. Anzi, sembrava che cercasse di sfuggire ai suoi carnefici scuotendosi dall'intorpidimento dell'oppio, con un ultimo sussulto dell'istinto di conservazione.

Sir Francis Cromarty afferrò strettamente la mano di Phileas Fogg e sentì che quella mano impugnava un coltello con la lama scoperta.

La folla ondeggiò, si compose in processione e si mosse dietro ai bramini, che imboccarono il sentiero verso il fiume.

La giovane era caduta di nuovo nel torpore e passò scortata dai fakiri che cantavano lente salmodie. Phileas Fogg e i compagni si accodarono al corteo mescolandosi agli ultimi gruppetti della folla.

Quando la processione si fermò sulla riva del fiume, riuscirono a sistemarsi a una cinquantina di passi dalla pira. Nella luce incerta del giorno nascente, videro la bella vittima assolutamente inerte, distesa a fianco del cadavere del vecchio rajah.

Una torcia venne avvicinata alla catasta: la fiamma divampò e crepitò tragicamente sul legno cosparso d'olio e di resine. Sir Francis Cromarty e l'indù trattennero a fatica Phileas Fogg che, in uno sprazzo di generosità, si era slanciato verso la catasta che ardeva. Il gentleman tentò di respingerli e stava già per divincolarsi, quando all'improvviso qualcosa mutò la scena. Grida laceranti squarciarono l'aria. La folla intera si prostrò a terra spaventata e tremante.

Sembrava che il vecchio rajah non fosse morto! Infatti, tutti avevano potuto vederlo alzarsi, sollevare tra le braccia la giovane donna e, come un'apparizione dall'oltretomba, scendere dal rogo facendosi largo tra le spirali di fumo e le lingue di fuoco.

I fakiri, le guardie, i bramini, colti da un sacro terrore, non osarono più alzare gli occhi su quello spaventoso prodigio e se ne stavano con la faccia a terra. La distesa dei loro dorsi incurvati faceva l'effetto di un campo di grano piegato dal soffio dell'uragano.

E la vedova, inerte, avanzava sulle braccia vigorose che la reggevano come se avesse il peso di una piuma.

Anche il parsì aveva abbassato a terra la fronte. Solamente Phileas Fogg e Sir Cromarty erano restati in piedi.

L'uomo che sembrava risuscitato si fece largo tra la folla genuflessa senza trovare ostacoli e giunse accanto ai due inglesi.

"Presto! Battiamocela più veloci che possiamo!" sibilò.

Era Passepartout, in persona! Aveva appena strappato la donna dalla morte certa. Tanto fortunato quanto audace, ora passava sprezzante in mezzo allo spavento generale. Un istante più tardi, i rapitori sparivano nella selva con la loro preda e lì l'elefante li raccolse per portarli via al trotto veloce. Quasi subito, dietro a loro echeggiarono grida e fragore. Un'orda di guardie si lanciò all'inseguimento dei fuggiaschi. Rimbombò una scarica di fucili e una pallottola forò il cappello di Phileas Fogg. Il rapimento era stato scoperto. Infatti, ora, sulla pira si delineava chiaramente la salma del vecchio rajah.

Ma quando i sacerdoti indù si riebbero dal loro sacro terrore era troppo tardi: Kiunì, incitato dall'infervorato mahut, correva ormai attraverso la foresta portando fuori dal tiro delle pallotole e delle frecce Auda e i suoi salvatori.

14 Phileas Fogg attraversa la mirabile valle del Gange senza degnarla di uno sguardo

L'audace rapimento, dunque, era riuscito. Un'ora più tardi, Passepartout ancora rideva per il proprio successo. Sir Francis Cromarty aveva stretto con vigore la mano al coraggioso giovanotto. Il suo padrone gli aveva detto: "Bene", e questo, sulla bocca di quel gentleman equivaleva a un encomio solenne. Passepartout, dal canto suo, aveva risposto che tutto l'onore della faccenda era da attribuire al suo padrone: da parte sua, aveva soltanto avuto un'idea originale e sorrideva pensando che per qualche istante lui, Passepartout, ex ginnasta ed ex sergente dei pompieri, era stato il vedovo di una donna meravigliosa, niente meno che un vecchio rajah imbalsamato!

La giovane indiana non si era neppure accorta di quel che era successo. Avvolta nelle coperte da viaggio dormiva in una delle lettighe sul fianco dell'elefante.

L'elefante, guidato con disinvolta sicurezza dal parsì, correva rapido nella foresta ancora immersa nell'oscurità e, un'ora dopo avere lasciato la pagoda di Pillaji, si lanciava attraverso una sconfinata pianura.

Alle 7, si concessero una sosta. La giovane era ancora in uno stato di totale prostrazione. La guida le fece bere alcune gocce d'acqua e di brandy, ma gli effetti dello stupefacente che le avevano somministrato sarebbe durato ancora un po'. Sir Francis Cromarty, che conosceva gli effetti dell'ebbrezza prodotta dall'inalazione del fumo della canapa, non era affatto preoccupato per il suo stato. Se però la salute della giovane indiana non gli dava da pensare, ben diverso era il suo stato d'animo per il futuro della ragazza. Senza esitazioni, disse a Phileas Fogg che se la signora Auda fosse rimasta in India, inevitabilmente sarebbe ricaduta nelle mani dei suoi aguzzini. Quegli invasati avevano sicari in tutta la penisola indiana e di sicuro, nonostante la sorveglianza della polizia inglese, avrebbero saputo riprendersi la loro vittima anche se si fosse rifugiata a Madras, a Bombay oppure a Calcutta. E per avvalorare la sua preoccupazione, Sir Francis Cromarty citava un fatto simile avvenuto qualche tempo addietro. A suo dire, la giovane sarebbe stata veramente al sicuro solo se avesse lasciato per sempre l'India. Phileas Fogg gli assicurò che avrebbe tenuto in considerazione le sue osservazioni e che avrebbe provveduto di conseguenza.

Attorno alle 10, la guida annunciò che stavano arrivando alla stazione di Allahabad. In quella città riprendeva la strada ferrata interrotta che collegava Allahabad a Calcutta con un viaggio che durava poco meno di un giorno e una notte.

Phileas Fogg, dunque, sarebbe arrivato in tempo per prendere il piroscafo che doveva partire solo a mezzogiorno del giorno successivo, il 25 ottobre, per Hong Kong.

La giovane indiana fu fatta accomodare in una sala della stazione.

Passepartout fu incaricato di comprarle quanto le sarebbe potuto servire per la toilette: abiti, scialli, pellicce e tutto il resto che fosse riuscito a trovare. Il suo padrone gli dava carta bianca.

Passepartout non pose tempo in mezzo e partì di gran fretta percorrendo le vie della città. Allahabad è la città di Dio, una delle più sacre dell'India tutta, poiché sorge alla confluenza di due fiumi sacri, il Gange e la Jumna, le cui acque richiamano pellegrini da tutta la penisola. Si sa anche che, secondo le leggende del Ramayana, il Gange ha le sue sorgenti nel cielo e da lì, grazie a Brahma, scende sulla terra.

Sebbene occupato dalle sue compere, Passepartout visitò rapidamente la città, che in altri tempi era difesa da un superbo forte che poi era stato trasformato in prigione statale. In quella città, che una volta era stata piena d'industrie e centro di commerci, le industrie e i commerci erano scomparsi. Passepartout, che inutilmente cercava un emporio di novità, neanche si trovasse in Regent Street, a pochi passi da Farmer & Co., trovò solo un vecchio mercante ebreo pieno di pretese che gli offrì ciò che gli serviva: un abito di stoffa scozzese, un caldo mantello e una magnifica pelliccia di lontra che non esitò a pagare ben 75 sterline. Poi, tutto contento, tornò alla stazione.

La signora Auda cominciava a riaversi. Mentre svaniva l'effetto degli stupefacenti che i sacerdoti di Pillaji l'avevano obbligata ad assumere, i suoi begli occhi riconquistavano la loro dolcezza indiana. Quando il re poeta Ushaf Uddaul canta le bellezze della regina di Ahmadgnagar, scrive così: "La sua lucente capigliatura, ordinatamente divisa in due parti, inquadra i contorni armoniosi delle due delicate guance d'avorio, brillanti, linde e fresche. Le sue sopracciglia nere come l'ebano hanno la forma e la potenza dell'arco di Kama, il dio dell'amore, e sotto le sue lunghe ciglia di seta, nella nera pupilla dei suoi grandi occhi limpidi, navigano come nei laghi sacri dell'Himalaya i riflessi più puri della luce celeste. Fini, eguali e bianchissimi risplendono i suoi denti tra le sorridenti labbra, come gocce di rugiada all'interno di un fiore semiaperto di melograno. Le sue minuscole orecchie dalle curve simmetriche, le sue mani vermiglie, i suoi piedini incurvati e teneri come le gemme del loto, brillano dello splendore delle più belle perle dello Sri Lanka e dei più bei diamanti di Colgond. La sua cintura minuscola e leggera, che una sola mano riesce a stringere, mette in risalto l'elegante curvatura dei fianchi arrotondati e la floridezza del petto sul quale la fiorente giovinezza dispiega i suoi tesori più splendenti e sotto le pieghe di seta della tunica sembra sia stata modellata in argento puro dalla mano divina di Vicvacarma, l'eterno scultore".

Ma anche senza tutti questi ghirigori di parole, basta dire che la signora Auda, la vedova del rajah del Bundelkund era una meravigliosa donna come questo complimento s'intende in Europa. Parlava un inglese fluente e la guida non aveva per nulla esagerato dichiarando che questa parsì era stata trasformata dall'educazione che aveva ricevuto.

Il treno stava ormai lasciando la stazione di Allahabad e il parsì ancora era in attesa. Sir Fogg gli consegnò la retribuzione che avevano pattuito, senza nemmeno un centesimo in più. Questo lasciò sconcertato Passepartout, che aveva ben presente quanto il suo padrone era debitore alla devozione della guida. L'uomo, infatti, aveva volontariamente rischiato la vita nella vicenda di Pillaji e, se più tardi gli indù lo avessero saputo, difficilmente sarebbe potuto sfuggire alla loro vendetta.

Restava da risolvere anche la questione di Kiunì. Che cosa ne avrebbero mai fatto di un elefante pagato tanto caro?

Phileas Fogg, però, una decisione sull'argomento l'aveva già presa.

"Parsì" disse il gentleman rivolgendosi alla guida, "sei stato un compagno fedele. Ho pagato il tuo servizio, ma non la tua dedizione. Ti piacerebbe avere l'elefante? Tienilo: è tuo."

Al mahut brillarono gli occhi.

"Signore! Mi regalate un'autentica fortuna!" si meravigliò felice.

"Accettala, mahut: nonostante questo, ti sarò ancora debitore."

"Così sì che si aggiustano le cose!" esultò Passepartout. "Caro parsì, è giusto che l'elefante resti a te che sei un amico. E riguardalo: Kiunì è un animale forte e coraggioso!"

Avvicinatosi al pachiderma, il domestico gli offrì una manciata di zollette di zucchero. L'elefante, ghiotto, le afferrò ed emise una specie di grugnito di soddisfazione, poi con la proboscide prese il giovanotto per la vita e lo sollevò fino alla propria testa.

Passepartout, per nulla spaventato, gli fece una lunga carezza e l'animale lo ripose piano piano a terra. E lì il buon francese si congedò da Kiunì stringendogli la proboscide, esattamente come avrebbe scambiato un'energica stretta di mano con un amico.

Poco dopo, Phileas Fogg, Sir Francis Cromarty e Passepartout, sistemati in un comodo scompartimento di cui la signora Auda occupava il posto migliore, volavano a tutto vapore verso Benares. Non più di ottanta miglia separano questa città da Allahabad e la distanza fu coperta in due ore.

Durante il tragitto, gli effetti dell'hang svanirono. La giovane si risvegliava con la mente lucida da un sonno così profondo da somigliare alla morte e fu assai meravigliata di trovarsi su un treno in corsa, abbigliata secondo l'uso europeo, tra viaggiatori che non aveva mai visto.

I suoi compagni si diedero da fare con ogni possibile cortesia e la aiutarono a riprendersi con alcune gocce di liquore. Toccò a Sir Cromarty raccontarle l'avventura di cui era stata l'involontaria protagonista.

L'ufficiale insistette sulla coraggiosa generosità di Phileas Fogg, che non aveva esitato a rischiare la propria vita per tentare di salvarla e concluse spiegandole come tutto si fosse risolto grazie all'audace trovata di Passepartout. Il signor Fogg lasciava dire senza intervenire. Il suo domestico, con sincera modestia, si affannava a ripetere: "Non è stato niente, proprio niente! Non è stata altro che una trovata burlona!"

Gli occhi splendenti della signora Auda erano lucidi di lacrime ed esprimevano più delle parole la riconoscenza che nutriva per i suoi salvatori. D'un tratto, ripensando alla vicenda del sutty, la giovane, lasciando correre lo sguardo sulla terra dove tanti pericoli ancora la minacciavano, ebbe un brivido di vero terrore.

Phileas Fogg capì a cosa stesse pensando e, per rassicurarla, con la sua solita freddezza, le offrì di accompagnarla a Hong Kong, dove avrebbe potuto restare fintanto che tutta la faccenda fosse dimenticata.

Auda, che appunto parlava un perfetto inglese, accettò con riconoscenza l'offerta: proprio a Hong Kong, che è interamente inglese anche se è solo un punto sulle coste della Cina, viveva un suo parente di razza parsì, un certo dottor Jejeeh, ricchissimo mercante.

Alle 12 e 30 il treno entrò nella stazione di Benares. Le leggende bramine narrano che la città occupa il posto dove si trovava un tempo l'antica Casi, sospesa a mezz'aria, tra lo zenit e il nadir, come la tomba di Maometto. Ma all'epoca di questo viaggio, Benares – che gli orientalisti definiscono come l'Atene dell'India – era assai meno poeticamente appoggiata sulla terra, tanto che Passepartout poté per un attimo intravedere le sue case di mattoni e le sue palafitte, che le davano un aspetto profondamente desolato, senza nessun colore locale.

Proprio qui Sir Francis Cromarty doveva scendere, perché le truppe che doveva raggiungere erano poche miglia a nord della città.

Si congedò dalla signora Auda, che commossa gli ripeté la propria gratitudine, e l'ufficiale offrì a Passepartout un addio da camerata.

Alla fine, salutò Phileas Fogg con l'augurio del pieno successo per il suo viaggio. Il gentleman si limitò a rispondergli con una leggera stretta di mano. Ormai, però, l'ufficiale aveva compreso che, per quell'algido inglese, pure una lieve pressione delle dita poteva esprimere un sentimento profondo e sincero.

Da Benares a Calcutta la linea ferrata segue l'incantevole valle del Gange. Attraverso i vetri del vagone, i viaggiatori contemplavano un paesaggio molto particolare: piccoli fiumi e stagni popolati da alligatori, villaggi sparpagliati nella foresta verdeggiante, branchi di zebù e di elefanti che andavano a bagnarsi nel fiume sacro e, dappertutto,

le acque e le rive che pullulavano di indù, uomini, donne di ogni età che, nonostante il freddo della stagione già avanzata, compivano con meticolosa attenzione le abluzioni dei riti sacri.
Questi fedeli, che sono acerrimi rivali del buddismo, seguono fervidamente la religione braminica, che s'incarna in tre persone: Visnù, la divinità del sole, Shiva, che personifica le forze della natura, e Brahma, signore supremo di sacerdoti e legislatori. Chissà con quale occhio adesso Brahma, Shiva e Visnù dovevano guardare l'India influenzata dai britannici, mentre alcuni battelli a vapore sbuffavano agitando le sacre acque del Gange e spaventando i gabbiani che si levavano in volo dalla sua superficie, le tartarughe che si trascinavano sulle sue rive e i fedeli disseminati sulle spiagge. Questo particolarissimo panorama passò davanti agli occhi in un baleno mentre le frequenti nubi di vapore bianco ne celavano i dettagli. I viaggiatori riuscirono solo a intravedere il forte di Chunar, venti miglia a sud-est di Benares, antica fortezza dei rajah del Behar, Ghazipur e le sue imponenti fabbriche di acqua di rosa, la tomba di Lord Cornwallis costruita alla sinistra del Gange, la città fortificata di Buxar, Patna, grande città commerciale, dove si svolge il principale mercato d'oppio dell'India, Monghyr, città ormai europea, inglese quanto Manchester o Birmingham, famosa per le fonderie di ferro, le fabbriche di coltelli e armi bianche, e le cui ciminiere svettanti oscuravano con il fumo scuro il cielo di Brahma, autentica offesa al paese del sogno!
Calò la notte e, nel coro dei versi di tigri, orsi, lupi che scappavano al passaggio della locomotiva, il treno sfrecciò rapidissimo e non si scorse più nulla degli splendori del Bengala: né Colgond, né Gur in rovina, né Murshidabad, che anticamente fu persino capitale, né Burdwan, né Hooghly, né Chandragarh, un'area francese del territorio indiano, sul quale Passepartout sarebbe stato fiero di vedere sventolare la bandiera della sua terra natale.
Alle 7, finalmente, il treno lanciò il suo fischio sotto le volte della stazione di Calcutta. Il piroscafo per Hong Kong doveva salpare a mezzogiorno. Phileas Fogg aveva a disposizione circa cinque ore.
Il diario di viaggio del gentleman non segnava né anticipi né ritardi.

L'arrivo a Calcutta era stato previsto ventitré giorni dopo la partenza da Londra, cioè per il 25 ottobre e così era avvenuto.
Purtroppo, i due giorni guadagnati fra Londra e Bombay si erano persi nell'avventurosa traversata della penisola indiana.
Ma è assai probabile che Phileas Fogg non li rimpiangesse affatto.

15 Il sacco da viaggio con le banconote si alleggerisce di un migliaio di sterline

Phileas Fogg scese dal vagone seguendo Passepartout, che si era precipitato a saltare sulla banchina, e molto galantemente aiutò la sua giovane compagna. Il gentleman voleva andare subito al porto per prenotare sul piroscafo una cabina per la signora Auda, che non avrebbe perso di vista nemmeno per un istante finché si fossero trovati in quel paese così pericoloso per lei.
Mentre Sir Fogg stava uscendo dalla stazione, un poliziotto gli si avvicinò e gli chiese: "Il signor Phileas Fogg?"
"Sono io."
"L'uomo che vi segue è il vostro servitore?" e, nel dire questo, il poliziotto indicò Passepartout.
"Esattamente."
"Vi prego di seguirmi entrambi."
Sir Fogg non fece alcun gesto che denunciasse il minimo stupore.
Il poliziotto che li aveva intercettati era un rappresentante della legge e per qualsiasi inglese la legge è sacra. Passepartout, spinto dalla sua indole francese, avrebbe volentieri protestato, ma il poliziotto lo toccò con la sua bacchetta e il padrone gli fece cenno di obbedire senza commenti.
Il gentleman domandò al poliziotto: "La signora può accompagnarci?"
"Se lo desidera."
Il rappresentante della legge guidò il terzetto a sistemarsi su un pal-

kigarri, una sorta di vettura a quattro ruote e con quattro posti, trainata da una coppia di cavalli.
Il veicolo partì rumorosamente prima slanciandosi attraverso le viuzze strette e fetide della 'città indù', lungo le quali si affastellavano e si affollava un brulichio di gente sudicia e cenciosa; poi percorse i viali ariosi della 'città europea' decorati con filari di palme e animati dall'incessante viavai di carrozze eleganti.
Venti minuti più tardi, il palkigarri arrivò davanti a una costruzione bassa che non aveva per nulla l'aria di un'abitazione civile.
I tre viaggiatori, che ormai si potevano definire autentici prigionieri, furono invitati a scendere e introdotti in uno stanzone con le inferriate alle finestre.
"Alle 8 e 30 comparirete davanti al giudice Obadiah" annunciò il poliziotto, che poi uscì chiudendosi la porta alle spalle.
"Siamo finiti in gabbia!" sospirò piano Passepartout, che si lasciò cadere su una sedia.
La signora Auda, la cui voce tremava per l'emozione che non riusciva più a controllare, disse precipitosamente a Phileas Fogg: "Sir, voi mi dovete abbandonare! È per causa mia che la polizia vi perseguita: espiate per avermi salvato la vita!"
"Lo escludo categoricamente» si affrettò a risponderle il gentleman. "Ci avrebbero arrestati per la questione del sutty? E vi pare che quei bramini oserebbero dichiarare quel che stavano facendo e comparire davanti a un giudice? No. Credo piuttosto che si tratti di un equivoco. A ogni modo, non vi lascerò se non dopo avervi portato a Hong Kong."
"Il piroscafo parte a mezzogiorno!" osservò Passepartout.
"E prima di quell'ora saremo a bordo."
L'affermazione di Phileas Fogg era stata talmente decisa che Passepartout non poté fare a meno di ripetere: "Ma certo! Prima della partenza saremo a bordo".
Alle 8 e 30 la porta si aprì. Riapparve il poliziotto, che condusse i prigionieri nella sala vicina. Era un'aula del tribunale e già vi si era raccolto un folto pubblico composto da europei e indigeni.
Sir Fogg, la signora Auda e Passepartout furono fatti sedere su una

panca posta dinanzi ai seggi dei magistrati e del cancelliere. Il magistrato, il giudice Obadiah, entrò quasi subito, seguito dal cancelliere. Era un uomo robusto, anzi decisamente sovrappeso. Staccò una parrucca da un chiodo e la calzò con un gesto veloce e sicuro.
A voce alta declamò: "La prima causa!"
E subito dopo aggiunse, mettendo una mano sulla testa: "Accidenti, ma non è proprio la mia parrucca!"
"In effetti, vostro onore, è la mia" gli fece notare il cancelliere.
"Caro signor Oysterpuf, come potete credere che un giudice emetta una buona sentenza se indossa la parrucca di un cancelliere?"
Lo scambio delle parrucche ebbe luogo immediatamente. Mentre tutto ciò accadeva, Passepartout ribolliva d'impazienza e gli pareva che le lancette dell'orologio avanzassero incredibilmente rapide sul quadrante del grande orologio appeso in tribunale.
"La prima causa" tornò a declamare il giudice Obadiah.
"Phileas Fogg?" chiese il cancelliere Oysterpuf.
"Eccomi" rispose Sir Fogg.
"Passepartout?"
"Eccomi!" rispose Passepartout.
"Ottimo!" disse il giudice Obadiah. "Signori imputati, sono ben due giorni che vi viene data la caccia su tutti i treni che provengono da Bombay."
"Possiamo sapere qual è l'accusa?" chiese Passepartout, impaziente.
"Sarete subito aggiornati" rispose il giudice.
"Vostro onore" disse allora il signor Fogg "io sono cittadino inglese e ho diritto..."
"Qualcuno le ha mancato di rispetto?" chiese il giudice Obadiah.
"No, affatto."
"Bene, allora siano fatti entrare i querelanti."
A quest'ordine del giudice, una porta si aprì e un usciere introdusse tre sacerdoti indù.
"Sono loro!" mormorò Passepartout. "Sono i delinquenti che volevano bruciare la signora Auda!"
I tre bramini si misero in piedi al cospetto del giudice mentre il

cancelliere leggeva ad alta voce il testo della 'querela per sacrilegio' contro Sir Phileas Fogg e il suo servitore, rei di aver violato un luogo sacro della religione braminica.
"Avete sentito l'accusa?" chiese il giudice a Phileas Fogg.
"Sissignore" rispose il gentleman guardando l'orologio. "E confesso."
"Confessate?!"
"Sì. E aspetto che i tre sacerdoti di Brahma confessino a loro volta cosa intendevano fare alla pagoda di Pillaji!"
I bramini si guardarono tra loro stupiti, come se non comprendessero il significato di quelle parole.
"Esattamente!" intervenne Passepartout. "In quella pagoda di Pillaji davanti alla quale intendevano bruciare viva la loro vittima."
Il giudice Obadiah assunse un'espressione di sorpresa.
"Quale vittima?" interrogò. «Bruciare? Chi?... Nel mezzo della città di Bombay?"
"Bombay!"
Il nome della città fu una rivelazione per Phileas Fogg e per il suo servo. Si erano quasi totalmente dimenticati del guaio alla pagoda di Malebar-Hill: e, invece, era proprio per quello che erano stati portati davanti ai magistrati di Calcutta.
Infatti, il giudice stava spiegando: "Signori, la questione non riguarda la pagoda di Pillaji, ma quella di Malebar-Hill a Bombay".
"E, a titolo di corpo del reato, ecco qui le scarpe del profanatore" intervenne il cancelliere deponendo sulla scrivania il corpo del reato.
"Le mie scarpe!"
Passepartout, stranito per la sorpresa e per la felicità del ritrovamento, non era riuscito a reprimere l'esclamazione. Un secondo più tardi avrebbe dato ogni suo bene pur di poter ritrattare quelle parole incaute. Se il buon uomo fosse stato un po' meno in affanno per le sue personali questioni, si sarebbe accorto che in un angolo del tribunale c'era un uomo che già conosceva.
L'agente Fix, che stava dietro a tutta quella macchinazione, seguiva il dibattimento con la massima attenzione. A Bombay il detective aveva attentamente calcolato tutto il vantaggio che poteva ricavare

dall'incidente di Passepartout nella pagoda di Malebar-Hill. A quel punto, aveva ritardato la partenza di dodici ore e aveva avuto un incontro con i bramini nel corso del quale aveva promesso loro un ingente indennizzo, consapevole che il Governo inglese voleva mostrarsi severissimo contro quel tipo di reati. Poi era salito a bordo del treno successivo e aveva scatenato i tre arrabbiatissimi sacerdoti indù sulle tracce del sacrilego.
Ma, a causa del tempo impiegato per l'avventuroso salvataggio tra le foreste dei Vidhya, Sir Fogg e il suo domestico erano arrivati a Calcutta dopo i loro inseguitori. Fix aveva trascorso ventiquattro ore di tormentosa inquietudine, con la paura che il suo ladro si fosse dileguato nelle province settentrionali; ma alla fine, facendogli la posta alla stazione, lo aveva visto e con enorme sollievo lo aveva fatto arrestare da un poliziotto nell'istante esatto in cui scendeva dal vagone insieme a una giovane signora.
Ora il detective attendeva con ansia che la causa si concludesse. Gli era assolutamente necessario che il suo furfante trovasse un inciampo capace di fermarlo a Calcutta, poiché anche lì, come prima a Bombay e a Suez, non era ancora arrivato il mandato d'arresto.
"Dunque, avete confessato i fatti?" riprese il giudice con la sua voce nasale.
"Confessati" confermò freddo Sir Fogg.
"Dunque, in base alla legge inglese, il cui intento è proteggere in ugual modo tutte le religioni dell'India, il signor Passepartout, reo confesso di avere violato con piede sacrilego il pavimento della pagoda di Malebar-Hill a Bombay il giorno 20 ottobre, viene condannato a quindici giorni di carcere e a un'ammenda di trecento sterline."
"Trecento sterline?!" mugugnò Passepartout, che era sinceramente offeso solo dalla multa.
"Silenzio!" strillò subito il cancelliere.
"Inoltre" aggiunse il giudice Obadiah, "poiché non è materialmente dimostrata la connivenza tra il domestico e il padrone e dato che a ogni modo costui è ritenuto responsabile delle azioni e dei gesti di un servitore alle sue dipendenze, il tribunale condanna il suddetto

Phileas Fogg a otto giorni di carcere e centocinquanta sterline di ammenda. Cancelliere, venga introdotta un'altra causa!"

Nel suo angolo, Fix era straordinariamente soddisfatto. Phileas Fogg veniva trattenuto per otto giorni a Calcutta: era ben più di quanto gli servisse per l'arrivo del mandato di cattura.

Passepartout non credeva all'evidenza: quella condanna era la rovina del suo padrone!

Una scommessa da ventimila sterline persa e perché lui, come un perfetto idiota, era entrato in quell'accidenti di pagoda!

Phileas Fogg era rimasto impassibile, senza batter ciglio, come se la sentenza non riguardasse lui. Dopo qualche istante propose: "Chiedo sia stabilita una cauzione".

"Rientra nei vostri diritti" gli riconobbe il giudice.

Il detective agghiacciò e recuperò un minimo di speranza quando il giudice Obadiah fissò la cauzione in mille sterline per ognuna delle persone da riscattare: una somma esorbitante!

A Phileas Fogg la cifra non suscitò nessuna impressione.

"La pago" affermò.

Passepartout gli porse il sacco e Sir Fogg ne tolse un pacchetto di banconote che pose sulla scrivania del cancelliere.

"La somma di duemila sterline vi verrà restituita quando uscirete dal carcere, se desidererete poi scontare la pena per non perdere l'importo che avete versato" spiegò il giudice. "Nel frattempo, sotto cauzione, siete liberi."

Phileas Fogg si limitò a dire al suo domestico: "Andiamo".

"Almeno mi restituiscano le scarpe!" sbottò Passepartout con uno scatto d'ira. Le scarpe gli furono restituite.

"Mannaggia quanto sono care!" considerò il domestico mentre le riponeva nel sacco da viaggio. "Più di mille sterline l'una! E pensare che non mi stanno nemmeno comode."

Passepartout, avvilito come un cane in castigo, uscì dal tribunale seguendo Phileas Fogg, che aveva offerto il braccio alla signora Auda.

Salirono tutti e tre su una carrozza che trottò in direzione del porto.

Fix non smetteva di contare sul fatto che il suo ladro non avrebbe

volentieri sacrificato la grossa cifra che avrebbe perduta se non avesse scontato gli otto giorni di carcere, e, con il fiato corto, si gettò all'inseguimento della vettura.
Scoccavano le 11 quando Phileas Fogg, sempre dando il braccio alla sua giovane compagna e seguito da Passepartout, arrivò sul molo. Aveva ben un'ora di anticipo. A mezzo miglio dalla costa, nella rada, il *Rangoon* era ancorato con la bandiera di partenza che sventolava sull'albero più alto.
Fix riconobbe il gruppetto che prendeva posto su una lancia a vapore che li portò dritti sottobordo al piroscafo.
Il detective pestò a terra un piede: "Briccone!" sibilò. "Parte sul serio. Duemila sterline buttate al vento! Generoso come tutti i ladri! Oh, ma gli starò appresso fin in capo al mondo se servirà. Di sicuro, però, con questo ritmo di spesa sperpererà tutto il denaro..."
La riflessione di Fix era motivata. Da quando il gentleman era partito da Londra, tra spese di viaggio, le ricompense, l'acquisto dell'elefante, la cauzione e le ammende, lungo la strada aveva già messo mano a più di cinquemila sterline. E la percentuale che toccava al detective sulla somma recuperata diventava man mano più leggera.

16 Fix sembra conoscere bene ciò di cui gli si racconta

Il *Rangoon* era uno dei piroscafi che la Compagnia Peninsulare e Orientale utilizzava per i mari della Cina e del Giappone: un natante di ferro, spinto a elica, con una stazza di millesettecentosettanta tonnellate e con una forza nominale di quattrocento cavalli.
Il *Rangoon* pareggiava il *Mongolia* in velocità, ma non per comodità. Fu per questo che la signora Auda non fu sistemata bene quanto Phileas Fogg avrebbe desiderato.
Del resto, si trattava solo di una traversata di tremilacinquecento

miglia, cioè undici-dodici giorni di navigazione, e la giovane si dimostrò una passeggera adattabile.

Nei primi giorni a bordo del *Rangoon*, la signora Auda ebbe modo di conoscere meglio Phileas Fogg. Appena le era possibile, lei non mancava occasione per manifestargli la propria gratitudine.

Il gentleman, però, con la sua solita flemma, l'ascoltava con distacco. Si dava da fare, gli va riconosciuto, perché alla donna non mancasse nessuna comodità; in certe ore della giornata andava a chiacchierare con lei, o meglio, ad ascoltarla. Ma faceva tutto questo come sempre in modo meccanico, come un automa caricato a molla, senza tradire nessuna emozione né con una parola né con un gesto.

La signora Auda non riusciva a farsene una ragione. Per fortuna, Passepartout aveva avuto modo di spiegarle un po' il particolarissimo carattere del suo padrone. Le aveva anche raccontato tutto di quell'incredibile scommessa per cui ora stavano facendo il giro del mondo. La giovane indiana aveva sorriso ascoltando tutte quelle informazioni. In fin dei conti, doveva la vita a quel gentleman e la riconoscenza le rendeva gradite persino le originalità più bizzarre.

Chiacchierando, la signora Auda confermò tutte le notizie che la guida indù aveva dato sulla sua storia personale: apparteneva proprio alla razza che, tra quelle native indiane, occupa il primo posto. Molti negozianti parsì avevano costruito grandi fortune in India con il commercio del cotone. Uno di loro, Sir James Jejeebhoy, aveva ottenuto dal governo inglese un titolo nobiliare e Auda era parente proprio di questo ricco signore che abitava a Bombay. Era proprio un cugino di Sir Jejeebhoy, l'onorevole Jejeeh, che intendeva contattare una volta giunta a Hong Kong.

Auda, parlando di quel ricco parente che voleva raggiungere a Hong Kong, espresse più volte la sua preoccupazione. Sarebbe stata accolta e protetta in quella casa? Non aveva modo di esserne sicura.

Sir Fogg le rispondeva sempre alla stessa maniera: che stesse tranquilla, che tutto si sarebbe incastrato matematicamente.

La signora Auda non coglieva esattamente il significato di quell'avverbio e i suoi occhi spalancati, limpidi e tranquilli come due specchi d'acqua dolce, scrutavano interrogativi il volto di Phileas Fogg. Ma l'inglese, scostante e più chiuso che mai, non aggiungeva parola.

La prima parte della traversata del *Rangoon* si svolse in condizioni eccellenti. Il tempo era splendido. Quella porzione della grandissima baia che i marinai chiamano 'le braccia del Bengala' era così propizia che favorì la marcia del piroscafo. Il *Rangoon* incontrò presto l'Andaman Settentrionale, l'isola principale dell'arcipelago delle Andamane, segnalata ai navigatori anche a grande distanza grazie alla vetta del Saddle-Peak, che svetta fino a 732 metri oltre il livello del mare.

Fecero piccolo cabotaggio lungo la sua costa, ma i selvaggi papua dell'isola non si fecero vedere. Sono uomini che alcuni collocano all'ultimo gradino della specie umana, ma sarebbe un affronto considerarli antropofagi.

Il panorama offerto da queste isole era superbo. Il primo piano della visione era occupato. Sconfinate foreste di latani, areche, bambù, miristiche, tek, mimose giganti, felci arborescenti, e sullo sfondo si delineava il profilo elegante delle montagne. La costa pullulava di migliaia di preziose salangane, i cui nidi erano commestibili ed erano un cibo assai ricercato nel Celeste Impero cinese. La meraviglia di questo spettacolo offerto agli sguardi dell'arcipelago delle Andamane sparì fuggevole e il *Rangoon* si diresse a tutta velocità verso lo stretto di Malacca, da cui sarebbe poi passato ai mari della Cina.

Come occupava il tempo durante la traversata l'ispettore Fix, che – in sostanza – era trascinato nella circumnavigazione del globo contro la propria volontà? A Calcutta aveva lasciato precise istruzioni perché il famoso mandato, caso mai fosse arrivato, gli venisse spedito a Hong Kong e poi era riuscito a imbarcarsi sul *Rangoon* senza essere visto da Passepartout, e sperava di non essere riconosciuto fino all'arrivo a destinazione. In effetti, non sarebbe stato facile per lui spiegare come mai fosse a bordo del *Rangoon* senza insospettire Passepartout, che doveva crederlo ancora a Bombay. Ma fu lo stesso svolgersi del viaggio, con le sue circostanze, a riproporgli un incontro con il bravo giovanotto. Come? Andiamo subito a scoprirlo.

Tutte le speranze e tutte le ambizioni del detective erano concentrate

su un unico punto del globo: Hong Kong, anche perché il piroscafo avrebbe fatto una sosta troppo breve a Singapore per poter operare in questa città.
Era dunque a Hong Kong che secondo i suoi progetti doveva essere arrestato il ladro; se invece gli fosse sfuggito, allora non aveva nessuna speranza di recuperare terreno.
Hong Kong, infatti, era ancora una terra inglese ma era l'ultima che avrebbero incontrato sulla strada. Gli stati su cui avrebbe viaggiato poi – la Cina, il Giappone e l'America – avrebbero offerto a Sir Fogg un rifugio pressoché inattaccabile. A Hong Kong, se finalmente avesse trovato il mandato di arresto che non riusciva a raggiungerlo, Fix avrebbe arrestato Fogg e l'avrebbe consegnato alla polizia locale. Sarebbe andato tutto liscio come l'olio. Oltre Hong Kong, purtroppo, un semplice mandato d'arresto non sarebbe più bastato, sarebbe invece servito un mandato di estradizione. Di conseguenza, ci sarebbero stati ritardi, rallentamenti, difficoltà di ogni genere, da cui quel furfante avrebbe tratto vantaggio per svignarsela una volta per tutte. Se l'operazione fosse fallita a Hong Kong, sarebbe stato impossibile, o comunque molto difficile, riprenderla con qualche speranza di buona riuscita.
"Quindi" ripeteva Fix a se stesso durante le interminabili ore che trascorreva nella sua cabina, "quindi, o troverò il mandato di arresto a Hong Kong e arresterò il mio fuggiasco, oppure non sarò ancora arrivato e in tal caso bisogna che riesca, in un modo o nell'altro, a ritardare la sua partenza. Ho fallito a Bombay e ho fallito pure a Calcutta! Se manco il mio colpo a Hong Kong, la mia reputazione è rovinata! Costi quel che costi, devo assolutamente riuscirci. Ma che pretesto posso usare, se sarà necessario, per ritardare la partenza di quel maledetto Fogg?"
Se non si fossero aperti altri spiragli, Fix era deciso a confessare tutto a Passepartout, a metterlo al corrente della reale identità del padrone che stava servendo e del quale, di sicuro, non era complice. Passepartout, dopo avere ascoltato la rivelazione, per non compromettersi si sarebbe certamente messo dalla parte giusta, cioè quella di Fix. Ma

questa era davvero l'ultima possibilità, alla quale sarebbe ricorso solo se tutti gli altri piani fossero falliti. Anche perché sarebbe bastata una sola parola di Passepartout al suo padrone per mandare irrevocabilmente all'aria l'intero affare.
L'ispettore di polizia, dunque, si dibatteva tra incertezze e timori, quando la presenza della signora Auda insieme a Phileas Fogg a bordo del *Rangoon* gli fece balenare nuove prospettive.
"Chi sarà mai quella donna? Per quali ragioni è diventata la compagna di viaggio di Fogg? L'incontro deve essere avvenuto per forza fra Bombay e Calcutta. Ma dove, esattamente? Sarà stato un incontro casuale oppure il viaggio del furfante attraverso l'India è cominciato con il preciso scopo di raccogliere quell'incantevole creatura? Perché, a dire la verità, è proprio uno splendore..."
Fix, che nell'aula del tribunale di Calcutta aveva avuto tutto il tempo per osservare la giovane indiana, elaborò alla fine un'idea che gli si radicò tra i pensieri: "Di sicuro è come dico io: che quella donna sia sposata o no, dietro a questa faccenda ci deve essere un rapimento! E, in questo caso, posso mettere il rapitore in una situazione talmente seria e difficile che questa volta non se la potrà cavare nemmeno spendendo tutto il suo denaro".
Tuttavia, non si poteva aspettare l'arrivo a Hong Kong per agire: era preferibile avvertire le autorità inglesi inviando una segnalazione riguardo il passeggero del *Rangoon* prima del suo arrivo. Si trattava di un'operazione facile, visto che il piroscafo doveva attraccare a Singapore per rifornirsi di carbone e un cavo del telegrafo collega Singapore con Hong Kong. Il *Rangoon* già era pronto a imboccare lo stretto di Malacca: il giorno successivo avrebbe fatto la sosta di un'ora già prevista per riempire i serbatoi. Fix non perse un istante e passò subito all'azione. Per procedere senza errori aveva bisogno di alcune informazioni precise e dunque decise di far parlare Passepartout. Quel mattino, uscendo finalmente dalla volontaria reclusione nella propria cabina, il detective salì sul ponte proprio per incontrare il suo uomo. Passepartout era là che passeggiava a prua. Fix, facendo finta di essere profondamente stupito, gli corse incontro.

"Voi? Qui sul *Rangoon*!" esclamò.
"E chi si rivede?! Il signor Fix a bordo!"
Quando Passepartout rivide il suo compagno del *Mongolia* fu proprio sinceramente meravigliato.
"Vi ho lasciato a Bombay e ora vi ritrovo sulla rotta di Bombay! Signor Fix, forse anche voi fate il giro del mondo?"
"No, affatto! Voglio fermarmi a Hong Kong almeno qualche mese."
"Ah! E come mai dalla partenza da Calcutta non vi ho mai incontrato a bordo fino a oggi?"
"Ecco, vede, non mi sentivo molto bene..." rispose Fix sorridendo con un'aria imbarazzata. "Mi è toccato rimanere sdraiato in cabina. Sul golfo del Bengala non me la sono cavata bene quanto sull'oceano Indiano. Il vostro padrone come sta?"
"Sta benissimo: puntuale sul suo itinerario proprio come un cronometro! A proposito, signor Fix, voi non lo sapete ma ora abbiamo con noi anche una giovane signora!"
Fix fece finta di cadere dalle nuvole. Passepartout non impiegò molto a raccontargli tutta la storia per filo e per segno: dall'incidente alla pagoda di Bombay, all'acquisto dell'elefante al costo di duemila sterline, fino alla scena del sutty, andando avanti con il rapimento nella foresta, la condanna del tribunale di Calcutta e la libertà sotto cauzione.
I fatti più recenti Fix li conosceva molto bene, ma si comportò come se li ignorasse. Alla fine, però, riuscì a tirar fuori la domanda che gli premeva alla gola: "Ditemi un po', giovanotto: in conclusione, Sir Fogg vuole portare la giovane indiana in Europa?"
"Macché, signor Fix, non ci pensa nemmeno! La stiamo semplicemente accompagnando per affidarla alle cure di un suo ricchissimo parente, un negoziante che vive a Hong Kong."
"Niente da fare!" disse tra sé e sé il detective, ma controllando l'impressione di dispetto aggiunse: "Gradite un bicchierino di gin, signor Passepartout?"
"Ben volentieri, signor Fix. Dobbiamo brindare al nostro incontro sul *Rangoon*!"

17 Nel corso della traversata da Singapore a Hong Kong si affrontano diversi argomenti

Dopo quel giorno, Passepartout e il detective si incontrarono molto spesso, ma l'agente mantenne un atteggiamento di una grandissima riservatezza con il suo nuovo amico e non tentò nemmeno di farlo parlare. Soltanto un paio di volte intravide Sir Fogg, che rimaneva piacevolmente nella sala grande del *Rangoon* per tenere compagnia alla signora Auda oppure per giocare a whist, come da sempre e ovunque era sua abitudine.

Per quel che riguardava Passepartout, aveva riflettuto molto seriamente sul caso davvero curioso di aver incontrato ancora una volta Fix sulla strada del suo padrone. E, in effetti, c'era almeno di che pensare. Questo gentiluomo molto amabile, assai compito, incontrato una prima volta a Suez, che si imbarca sul *Mongolia* e sbarca a Bombay, dove racconta di voler soggiornare, ma che poi ricapita sotto gli occhi sul *Rangoon*, diretto a Hong Kong: in sintesi, uno strano personaggio che seguiva passo dopo passo l'itinerario di Sir Fogg… uno di quei casi strani che fanno almeno un po' pensare!

Passepartout, dal giorno in cui aveva inaspettatamente incontrato Fix, si era messo a meditare più attentamente sull'alone di mistero che circondava le singolari coincidenze che avevano rimesso quell'individuo sulla strada del suo padrone.

Chi mai starà tenendo d'occhio Fix?... Per le mie favolose pantofole! Potrei scommettere che quell'uomo lascerà Hong Kong insieme a noi ed esattamente sullo stesso piroscafo!"

Se anche avesse meditato per un secolo intero, Passepartout non avrebbe mai potuto indovinare la verità e cioè che il suo padrone era braccato tutt'intorno al globo terrestre come un volgare ladro. Tuttavia, siccome la natura umana sente il dovere di trovare una spiegazione per ogni cosa, Passepartout ebbe un'improvvisa folgorazione che lo fece arrivare a una conclusione che gli sembrava assai plausibile.

"Ho capito!" disse rivolgendosi a se stesso, orgoglioso della scoperta.

«Fix non è altro che una spia! Un agente informatore messo sulle tracce di Sir Fogg dai suoi colleghi del Reform Club, con l'incarico di verificare se veramente compie il viaggio intorno al mondo come aveva detto. Ah, ma è una cosa disdicevole! Far spiare un gentiluomo così per bene, tanto degno di fiducia! Signori del Club, questa bassezza vi costerà cara!»

Passepartout decise che non avrebbe riferito nulla al padrone: temeva che potesse sentirsi giustamente offeso dal vile sospetto dei suoi avversari. Si ripromise però di smascherare Fix alludendo con parole velate al suo ruolo, stando ben attento a non esporsi troppo.

Al tramonto del quinto giorno di viaggio, mercoledì 30 ottobre, il *Rangoon* imboccò lo stretto di Malacca, che separa l'omonima penisola da Sumatra. Una corona di isolotti rocciosi, molto suggestivi, nascondeva ai viaggiatori il panorama dell'isola più grande.

Albeggiava quando lo steamer attraccava al porto principale dell'isola di Singapore. Il *Rangoon* aveva ben dodici ore di anticipo sull'orario d'arrivo previsto. Phileas Fogg annotò il vantaggio nell'apposita colonna del suo taccuino e si preparò a scendere a terra per accompagnare la signora Auda, che desiderava fare una breve passeggiata.

Fix, che guardava con sospetto ogni mossa di Fogg, li seguì tenendosi a distanza. Passepartout, che se la rideva seguendo a sua volta le mosse del detective, si allontanò per il solito giro di acquisti.

Una bella carrozza, trainata da eleganti cavalli importati dall'Australia (o Nuova Olanda che dir si voglia), condusse la signora Auda e Phileas Fogg attraverso i palmizi dall'abbondante fogliame e gli alberi di garofano (i cui chiodi altro non sono che il bottone del fiore semiaperto).

Singapore non è molto grande e nemmeno ha un aspetto imponente, perché le manca il rilievo delle montagne. Nonostante ciò, la lussureggiante vegetazione tropicale la rende deliziosa. La si può paragonare a un parco attraversato da belle strade. Cespugli di alberi del pepe occupavano il posto che le siepi spinose hanno nelle campagne europee; gli alberi del pane, le grandi felci con i loro rami intricati, rendevano vario e gradevole il paesaggio di questa regione tropicale; le miristiche dalle foglie lucide diffondevano nell'aria il loro profumo penetrante.

Tra i rami si agitavano le scimmie, raccolte in bande irrequiete e schiamazzanti, e nella giungla c'erano pure grosse tigri, che arrivavano da Malacca attraversando a nuoto lo stretto.
Dopo aver visitato la campagna per un paio d'ore, la signora Auda e Sir Fogg – che guardava senza vedere – rientrarono in città: un esteso agglomerato di case pesanti e schiacciate, attorniate da giardini meravigliosi in cui proliferavano le manguste, gli ananas e tutti i migliori frutti conosciuti.
Alle 10 il gentleman e la sua compagna tornarono al piroscafo, senza nemmeno immaginare che qualcuno li avesse seguiti e spiati: era Fix, che aveva pure dovuto accollarsi la spesa del noleggio di una carrozza.
Passepartout era già in attesa sul ponte del *Rangoon* e offrì alla signora Auda delle manguste rosee e polpose e alcuni ananas profumatissimi: un delizioso assaggio degli squisiti frutti per cui Singapore è famosa.
Alle 11 il *Rangoon*, con i serbatoi riforniti, issava l'ancora e di lì a poco i viaggiatori persero di vista le alte vette di Malacca, nelle cui foreste vivevano i più bei felini della Terra.
Singapore dista da Hong Kong, piccolo territorio inglese staccato dalla costa cinese, circa trecento miglia. Phileas Fogg doveva percorrere quella distanza in non oltre sei giorni visto che intendeva prendere da Hong Kong il battello che il 6 novembre sarebbe partiro per Yokohama, uno dei principali porti del Giappone.
A Singapore erano saliti a bordo indù, singalesi, cinesi, portoghesi e malesi in gran quantità, e avevano occupato la seconda classe.
Il tempo, che fino a quel momento era stato abbastanza bello, cambiò con l'ultimo quarto della luna. Il mare si fece grosso. Talvolta il vento soffiò a gran brezza, ma per fortuna da sud-est, come per favorire la corsa dello steamer. Quando era possibile maneggiarla, il capitano ordinava di alzare la velatura. Il *Rangoon*, armato come un brick, navigò spesso con le due vele di gabbia e la vela di trinchetto, e la sua velocità aumentò grazie alla duplice spinta del vapore e del vento. Fu così, con un'andatura a volte anche faticosa, che seguì una rotta stretta per costeggiare le coste dell'Annam e della Cocincina (come allora si chiamava l'attuale Vietnam).

Ma la colpa di quell'andare era più del *Rangoon* che del mare, ed era proprio con il piroscafo che avrebbero dovuto prendersela i passeggeri, la maggior parte dei quali si ammalò durante la traversata.
In realtà, le navi della Compagnia Peninsulare in servizio nei mari della Cina hanno un grave difetto di costruzione: il rapporto tra il pescaggio e il tonnellaggio è stato calcolato male e perciò offrono una debole resistenza al mare. Il loro volume chiuso e impenetrabile all'acqua è insufficiente: sono come 'annegate' e basta qualche ondata più forte per modificare la loro marcia. Queste navi sono quindi assai inferiori – se non per il motore e per il sistema di evaporazione, almeno per la costruzione – ai tipi delle Messaggerie francesi, come l'*Impératrice* e il *Cambodge*. A differenza di queste, che secondo i calcoli elaborati dagli ingegneri devono imbarcare una quantità d'acqua che pareggi in peso la loro stazza prima di andare a fondo, le navi della Compagnia Peninsulare – il *Golgonda*, il *Corea* e il *Rangoon* – non potrebbero imbarcare più di un sesto del loro peso senza colare a picco.
Dunque, quando il tempo era cattivo, era necessario adottare particolari precauzioni e ogni tanto bisognava mettere a piccolo vapore.
Tutte queste perdite di tempo non turbavano per nulla Phileas Fogg. Passepartout, al contrario, diventava furibondo. Accusava il capitano, il macchinista, la Compagnia e malediva tutti quelli che si volevano intromettere nel trasporto dei passeggeri. Non si può escludere che nelle sue esplosioni d'impazienza influisse anche il pensiero di quel famoso becco a gas che continuava a bruciare a sue spese nella casa di Saville Row.
"Allora, avete tanta fretta di raggiungere Hong Kong?" gli chiese un giorno Fix, che stava assistendo alle manifestazioni della sua impazienza.
"Certo che sì!" gli rispose Passepartout.
"Credete che il signor Fogg abbia urgenza di prendere a Hong Kong il piroscafo per Yokohama?"
"Una stramaledetta urgenza!"
"Dunque, voi ancora credete a questo viaggio intorno al mondo?"
"Certo che ci credo! Voi no, signor Fix?"

“Io?!... Be’... io non ci credo per niente.”

“Burlone!” rise il francese, strizzandogli l’occhio.

Fix restò esterrefatto. Quelle parole e quell’ammiccare, ovviamente, sottintendevano qualcosa. Che Passepartout avesse capito la sua vera identità? Quel pensiero tormentò il povero agente di polizia per più giorni.

Una mattina Passepartout gli aumentò ancor di più i tormenti con una domanda che pareva avesse un pizzico di malizia: “Dite un po’, signor Fix, a Hong Kong avremo forse la sciagura di dovervi salutare?”

“Ma, non saprei... Forse.”

“Ah, se voi ci accompagnerete sarà per me un vero piacere. Su! Un’agente della Compagnia Peninsulare non dovrebbe fermarsi a metà strada. Voi dovevate arrivare solo fino a Bombay: e fra poco sarete in Cina! L’America non è lontana, e dall’America all’Europa c’è solo un passo.”

Fix scrutava attentamente il suo interlocutore, che aveva l’espressione più amabile del mondo. Pensò che avrebbe fatto bene a ridere anche lui, e con un notevole sforzo ci riuscì. Quel giorno, però, il francese era decisamente in vena.

“Rende bene il vostro mestiere, signor Fix?” chiese alzando un angolo della bocca in un risolino.

“A volte sì e altre no. Ci sono affari buoni e affari cattivi. Ma, voi sapete, non viaggio a mie spese.”

“Oh, di questo sono più che certo!”

E Passepartout, dopo una fragorosa risata, girò sui tacchi e se ne andò.

Fix scese in cabina, si buttò sconsolato sulla cuccetta e rifletté.

“Sono stato scoperto!... A ogni modo, quel francese dell’accidenti mi ha riconosciuto come detective. Lo avrà detto al suo padrone? Che parte fa questo domestico in tutta la vicenda? Sarà o non sarà complice? E io? Devo rassegnarmi al fatto che i miei piani siano falliti? Stiamo a vedere...”

L’agente trascorse parecchie ore difficili. Alla fine, trovò l’ennesima risorsa.

“E sia, giocherò d’astuzia! Se a Hong Kong non sarà arrivato il mandato per arrestare subito Fogg, e se intuisco che sta per ripartire subito e abbandonare (questa volta per sempre) il territorio inglese, mi confido con Passepartout. O il domestico è complice del padrone – e in tal caso la mia azione resta, come sarebbe in ogni caso, irrimediabilmente compromessa – oppure il servo non c'entra niente col furto e, in questo caso, gli prometto una parte del premio, lo tiro abbastanza facilmente dalla mia parte e poi gli faccio capire che è nel suo interesse lasciare il padrone e aiutarmi a trattenere Fogg a Hong Kong fino a che giunga il mandato"

Questa ingegnosa trovata riuscì a tranquillizzare un poco i pensieri tumultuosissimi di Fix.

Mentre, ciascuno a modo proprio, Fix e Passepartout rimuginavano, Phileas Fogg veleggiava con maestosa indifferenza sui loro affanni. Il gentleman compiva metodicamente la sua orbita attorno al mondo, senza darsi pensiero per gli asteroidi che gli gravitavano intorno.

Eppure, nei paraggi c'era, come avrebbero detto gli astronomi, un astro turbatore che avrebbe dovuto provocare sincere perturbazioni nel suo cuore. E invece nulla! Con grande sorpresa di Passepartout, il fascino della signora Auda non esercitava nessun influsso e le perturbazioni, se ce n'erano, sarebbero state più difficili da calcolare di quelle di Uranio, che hanno consentito la scoperta di Nettuno.

In effetti, quello stupore si rinnovava ogni giorno nel cuore di Passepartout, che poteva leggere negli occhi della donna un'infinita riconoscenza verso il suo padrone. Evidentemente, Phileas Fogg aveva abbastanza cuore per comportarsi in modo coraggioso, ma non per amare! A proposito delle preoccupazioni che potevano infastidirlo per gli esiti del viaggio, non ce n'era traccia. Passepartout, al contrario, viveva in uno stato di tensione continua.

Un giorno era appoggiato al parapetto della sala macchine e guardava il possente motore che ogni tanto si imbizzarriva, quando un movimento violento di beccheggio faceva vorticare l'elica al di sopra delle onde: in quei momenti, il vapore usciva dalle valvole con un sibilo che faceva arrabbiare moltissimo quel bravo giovanotto.

"Quelle valvole non sono ben tarate!" esclamava. "Non si avanza! Ecco come sono questi inglesi! Eh! Se fosse una nave americana, forse si salterebbe in aria ma si andrebbe ben più spediti!"

18 Phileas Fogg, Passepartout e Fix si dedicano, ciascuno da solo, ai propri affari

Negli ultimi giorni della traversata, il tempo divenne abbastanza cattivo e il vento si fece molto forte: soffiando costantemente da nord-ovest, contrastava la marcia del piroscafo. Il *Rangoon*, troppo instabile, rullò parecchio e i passeggeri si arrabbiarono a pieno diritto con i cavalloni spaventosi che a largo il vento sollevava dall'acqua.

Tra il 3 e il 4 novembre ci fu una specie di tempesta. La burrasca spazzava il mare con violenza. Il *Rangoon* fu costretto a mettere alla cappa per mezza giornata, mantenendo solo dieci giri d'elica, così da affrontare di sbieco quei cavalloni. Le vele erano state ammainate, ma le sartie opponevano ancora troppa resistenza e il vento, frustandole, fischiava sonoro. La velocità del piroscafo, come è evidente, fu notevolmente ridotta e si iniziò a stimare che l'arrivo a Hong Kong sarebbe avvenuto con venti ore di ritardo sull'orario previsto, o forse anche di più, se la tempesta fosse continuata.

Phileas Fogg era come sempre impassibile davanti a quello spettacolo del mare furioso che pareva sfidare personalmente lui. Mai nemmeno per un istante la sua fronte si corrugò, anche se un ritardo di venti ore era capace di compromettere il suo viaggio facendogli perdere la coincidenza con il piroscafo per Yokohama. Ma quest'uomo, perfettamente calmo, non era né impaziente né irritato. Si sarebbe detto che questa tempesta rientrasse nei suoi programmi, che essa fosse stata pianificata.

La signora Auda, che ebbe occasione di parlargli di questo contrattempo, lo trovò calmo come al solito.

Fix, al contrario, non guardava le cose con lo stesso occhio. Tutt'altro! Era felice di questa tempesta. La sua soddisfazione sarebbe stata ancora più grande se il *Rangoon* fosse stato costretto a battere in ritirata davanti alla tormenta. Tutti quei ritardi gli andavano benissimo, perché avrebbero obbligato il signor Fogg a rimanere alcuni giorni a Hong Kong. Finalmente il cielo, con i suoi venti e con le sue burrasche, gli veniva in aiuto. Si sentiva un po' male, ma non era importante!

Non si curava delle proprie nausee e quando il suo corpo si contorceva per il mal di mare, il suo animo si risollevava con un'immensa soddisfazione. Quanto a Passepartout, è facile immaginare come trascorresse quei momenti di dura prova senza riuscire a dissimulare la rabbia.
Fino a quel momento tutto era andato talmente liscio! La terra e l'acqua sembravano essere al servizio del suo padrone. Piroscafi e ferrovie parevano obbedirgli. Il vento e il vapore si davano manforte per favorire il suo viaggio. Era dunque arrivato il momento delle disillusioni?
Passepartout, come se le ventimila sterline della scommessa dovessero uscire dalle sue tasche, non viveva più. La tempesta lo esasperava, la bufera lo rendeva furibondo e volentieri avrebbe castigato il mare disobbediente! Povero giovanotto! Fix gli tenne accuratamente nascosta la propria personale soddisfazione, e fu un'ottima scelta, perché se Passepartout avesse anche solo immaginato la contentezza che Fix gli nascondeva, gli avrebbe fatto passare un brutto quarto d'ora.
Passepartout rimase sul ponte del *Rangoon* fino a che durò la burrasca. Non sarebbe stato capace di restarsene cabina: si aggrappava all'alberatura, stupiva l'equipaggio e s'impegnava in ogni prodezza con l'abilità di una scimmia. Un centinaio di volte interrogò il capitano, gli ufficiali e i marinai, che non potevano trattenersi dal ridere alla vista di un ragazzo tanto stupefacente.
Passepartout voleva a tutti i costi sapere quanto a lungo sarebbe durata la tempesta. Lo si mandava allora a controllare il barometro, che però non si decideva a risalire. Passepartout lo scuoteva, ma non serviva a nulla: né gli scossoni né, tanto meno, le ingiurie di cui copriva quell'innocente strumento.
Finalmente, il maltempo si calmò. Le condizioni del mare cambiarono nella giornata del 4 novembre. Il vento saltò di due quarti verso il sud e tornò a essere favorevole. Passepartout si rasserenò man mano che si rasserenava il tempo. Furono sciolte le gabbie e le vele e il *Rangoon* riprese la sua rotta con una meravigliosa velocità.
Nonostante questo, non era possibile recuperare tutto il tempo perduto. Bisognava rassegnarsi all'evidenza dei fatti. La terra fu avvistata solo il 6 novembre, alle 5 del mattino. Il calendario fissato da Phileas

Fogg indicava l'arrivo del piroscafo per il giorno 5. Arrivando invece il giorno successivo, doveva per forza segnare ventiquattr'ore di ritardo. La partenza per Yokohama, dunque, era rimandata.

Alle 6, salì a bordo e prese posto sulla passerella del *Rangoon* il pilota che avrebbe guidato il piroscafo dentro al porto di Hong Kong.

Passepartout non vedeva l'ora di interrogare quell'uomo e chiedergli se il piroscafo per Yokohama avesse già lasciato Hong Kong. Però non osava farlo e si tratteneva, preferendo conservare un po' di speranza fino all'ultimo momento. Aveva confidato le sue inquietudini a Fix il quale, da furbo qual era, cercò di consolarlo dicendo che Sir Fogg sarebbe riuscito a prendere il piroscafo successivo. Questa risposta suscitava in Passepartout una rabbia apoplettica.

Sebbene Passepartout non s'azzardasse a far domande, Sir Fogg – dopo avere consultato il suo Orario Bradshaw – domandò al pilota, con la consueta impassibilità, se sapesse quando sarebbe partito un battello da Hong Kong per Yokohama.

"Domani, con la marea del mattino."

"Bene" disse il signor Fogg senza un cenno di meraviglia.

Passepartout, che aveva ascoltato il dialogo, avrebbe volentieri abbracciato il pilota, a cui Fix invece, con altrettanto piacere, avrebbe torto il collo.

"Qual è il nome dello steamer in partenza?" s'informò ancora il signor Fogg.

"Il *Carnatic*."

"Non doveva partire ieri?"

"Sì, signore, ma è stata necessaria una revisione alle caldaie e la partenza è stata rimandata a domani."

"Grazie dell'informazione" rispose Fogg, e con il suo passo da automa tornò a scendere nel salone del *Rangoon*.

Passepartout ne approfittò per afferrare di slancio la mano del pilota e stringerla quasi con affetto.

"Siete un grand'uomo!" gli gridò fissandolo in volto.

Il pilota non fu mai in grado di spiegarsi il motivo di quella stretta e di quel complimento.

A un colpo di fischietto, salì sulla plancia e diresse con una manovra disinvoltamente perfetta il *Rangoon* tra la flotta di giunche leggere, prahòs, tankas e battelli d'ogni genere che ingombravano la rada di Hong Kong. Quella volta il caso si era alleato con Phileas Fogg!

Se non fosse stato necessaria la revisione alle caldaie, il *Carnatic* avrebbe già lasciato il porto all'arrivo del *Rangoon* e i passeggeri diretti in Giappone avrebbero dovuto aspettare per ben otto giorni la partenza del piroscafo successivo.

Restava pur vero che Sir Fogg viaggiava con un ritardo di 24 ore rispetto ai tempi previsti, ma questo non aveva conseguenze per il resto del viaggio, poiché da Yokohama il piroscafo per San Francisco non sarebbe potuto partire se non fosse giunto quello di Hong Kong. E, comunque, le ore di ritardo sarebbero state recuperate senza problemi nei ventidue giorni di traversata del Pacifico.

Poiché la partenza del *Carnatic* era annunciata per il mattino successivo, Phileas Fogg aveva per sé sedici ore durante le quali avrebbe potuto dedicarsi dalla sistemazione della signora Auda.

Sbarcò dando il braccio alla giovane, noleggiò un palanchino e chiese ai portatori di condurli a un albergo di prima classe.

Gli venne suggerito l'Hôtel du Club e il palanchino vi si diresse, seguito da Passepartout che camminava a piedi.

All'Hôtel du Club, Phileas Fogg fissò un appartamento per la signora Auda. Qui la giovane indiana rimase in attesa del suo benefattore, che non aveva perso tempo per mettersi in cerca di quel tale onorevole Jejeeh presso il quale Auda credeva di trovare ospitalità.

Phileas Fogg, sempre con il palanchino, si fece portare alla Borsa, pensando che là di sicuro il ricco personaggio, uno dei più facoltosi della città, doveva essere conosciuto.

L'agente di cambio a cui Fogg chiese informazioni, in effetti, conosceva il commerciante parsì. Ma gli disse che da due anni quell'uomo non viveva più in Cina: racimolata una bella fortuna, era andato a vivere in Europa, probabilmente in Olanda, visto che nel corso di tutta la sua carriera aveva intrattenuto numerose relazioni di lavoro con quel paese.

Il gentleman tornò all'Hôtel du Club, fece chiedere alla signora Auda

il permesso di salire a parlarle e la informò del risultato delle ricerche.
La giovane, pensierosa, tacque a lungo. Si passò una mano sulla fronte, poi chiese con la sua voce suadente: «Che cosa devo fare, Sir Fogg?"
"Molto semplice, signora Auda: venite in Europa."
"Ma non posso abusare..."
"Voi non abusate. La vostra presenza non disturba affatto il mio programma. Passepartout!"
"Signore?" rispose il servo presentandosi.
"Andate al porto, e fissate tre cabine sul *Carnatic*."
Passepartout, raggiante al pensiero di proseguire il viaggio in compagnia della signora Auda, che era tanto bendisposta verso di lui, scese a balzelloni le scale dell'Hôtel du Club.

19 Passepartout si preoccupa troppo per il suo padrone ed ecco quel che succede

Hong Kong altro non è che un isolotto che il trattato di Nanchino, dopo la guerra del 1842, ha assegnato alla Gran Bretagna. Nel giro di pochi anni, grazie al proprio ingegno colonizzatore, gli inglesi vi hanno fondato un'importante città e vi hanno creato il Porto Vittoria.
Quest'isola è situata all'imbocco della foce di Canton, e solo sessanta miglia la separano dalla città portoghese di Macao, fondata sull'altra riva. Hong Kong doveva necessariamente battere Macao in un confronto commerciale e, a oggi, la maggior parte del traffico cinese viene trattato dalla città inglese. I dock, gli ospedali, i wharfs, i magazzini, la cattedrale gotica, la sede del governo, le strade lastricate secondo il sistema di MacAdam, tutto fa pensare che ci si trovi in una città commerciale delle contee del Kent o del Surrey che abbia attraversato il globo per spuntare in questo punto della Cina, quasi ai suoi antipodi.
Passepartout, con le mani in tasca, si diresse proprio verso il Porto

Vittoria osservando i palanchini, i carretti coperti (ancora in uso nel Celeste Impero) e tutta quella folla di cinesi, giapponesi ed europei, che si affollavano nelle strade.

"Bombay, Calcutta o Singapore... come sono simili le città che ritrovo sulla mia strada!" rifletteva il domestico. "Mi pare di capire che tutt'attorno al mondo è come se ci fosse una fascia di città inglesi."

Al porto trovò un andirivieni di navi di ogni nazionalità: inglesi, francesi, americane, olandesi; navi da guerra e navi mercantili; giunche, sampan e persino piccole imbarcazioni ornate di ghirlande di fiori e che sembravano vere e proprie aiuole galleggianti.

Entrato nella bottega d'un barbiere per farsi radere, Passepartout ne uscì poco più tardi, rasato proprio all'uso cinese, e poi andò dritto al molo dove era attraccato il *Carnatic*.

Là, come c'era da aspettarsi, incontrò Fix che passeggiava avanti e indietro. Il detective aveva la faccia che trasudava dispetto poiché non aveva ancora ricevuto il mandato d'arresto. Quello sciagurato documento lo inseguiva e, naturalmente, non lo poteva raggiungere fino a che Fix non fosse riuscito a fermarsi almeno un po' di tempo in un qualunque porto.

Passepartout, con il suo solito sorriso aperto, andò incontro al suo compagno.

"Allora, signor Fix, vi siete deciso a venire in America con noi?"

"Sì" rispose Fix a denti stretti.

Il francese scoppiò in una risata.

"Evviva! Lo sapevo che non vi potevate separare da noi. Venite, venite: andiamo a fissare anche la vostra cabina!"

Entrarono insieme negli uffici della Compagnia e noleggiarono le cabine per quattro persone.

L'impiegato si premurò d'informare i due stranieri che, siccome i lavori di revisione alle caldaie del *Carnatic* erano finiti, il piroscafo sarebbe partito quella sera stessa alle 20 anziché il mattino successivo.

"Perfetto!" esclamò Passepartout. "Corro subito ad avvertire Sir Fogg."

In quell'istante Fix prese una decisione estrema.

"Che fretta volete avere, amico mio?" disse, trattenendo il francese

per un braccio. "Rimane ancora un po' di tempo! Accettate qualcosa da bere?"
In una via adiacente al molo c'era una taverna e i due vi entrarono. Si trovarono in una sala ampia e ben arredata. Una trentina di avventori sedevano a tavolini di giunco intrecciato su cui erano sparsi boccali di birra e bottiglie di gin.
La maggior parte di quegli uomini fumava lunghe pipe di creta rossa, nei cui fornelli ardevano pallottoline dalle quali esalava un fumo dall'odore che frastornava, mescolato con essenza di rose.
Di tanto in tanto, qualche fumatore scivolava sotto il tavolo. Allora due camerieri accorrevano, lo sollevavano tenendolo uno per i piedi e l'altro per le braccia e lo portavano di peso su un vasto divano che si trovava in fondo alla sala, nella penombra. Là, il fumatore continuava i suoi sogni beati vicino a una decina d'altri che come lui dormivano ed erano già distesi da tempo.
Entrando nel locale Passepartout non aveva guardato subito da quella parte. Un penoso senso di disgusto lo prese quando, dopo che ebbe osservato meglio quanto avveniva intorno, capì d'essere capitato in una taverna di fumatori d'oppio. Infatti, si trovava in una di quelle fumerie come ne esistono a centinaia a Hong Kong e sono frequentate da miserabili abbrutiti e inebetiti dal narcotico.
L'uso dell'oppio è uno dei più disdicevoli e pericolosi: porta all'indebolimento del fisico e delle energie mentali. In Cina, dove l'oppio è andato tragicamente diffondendosi nel secolo scorso, il governo ha fatto enormi sforzi per contenerne la diffusione ma non ha quasi ottenuto risultato. Là uomini e donne sono per la maggior parte accaniti fumatori d'oppio: alcuni arrivano a fumarne persino otto pipe al giorno. Ma con quali conseguenze!
Alcuni persino ne muoiono nel giro di cinque anni!
Davanti a due bottiglie di Porto, che Fix aveva generosamente fatto portare in tavola, la conversazione fra il detective e il francese si prolungò parecchio. I due chiacchieravano del più e del meno. Passepartout, che non aveva denaro in tasca e aveva accettato per cortesia l'offerta del vino, fece onore alle bottiglie, che presto furono vuote.

Solo in quel momento il servo si ricordò di dover correre ad avvertire Sir Fogg del nuovo orario di partenza del *Carnatic*. Fix lo trattenne.
"Un momento!" disse. "Devo parlarvi di cose serie."
"Di cose serie?" ripeté Passepartout stupito, scolando il fondo dell'ultimo bicchiere che aveva davanti. "Va bene, ma ne parleremo domani. Oggi non ho più tempo."
Fix insisté: "Si tratta del vostro padrone".
A quelle parole, Passepartout scrutò in viso il suo interlocutore e tornò a sedersi.
"Che cosa dovete dirmi, dunque?"
Fix appoggiò la mano sul braccio del compagno: "Voi avete indovinato chi sono io, vero?" gli disse a voce bassa.
"Certo che sì!" rispose Passepartout, sorridendo.
"Allora vi confesserò tutto..."
"Ah, ah! Bella forza la vostra! Adesso che già lo so... Va bene, parlate pure. Ma prima lasciate che vi dica che quei gentiluomini sprecano il loro denaro."
"Se la pensate così, vuol dire che non conoscete l'ammontare esatto dell'importo."
"Ma certo: ventimila sterline."
Fix serrò la mano di Passepartout.
"Cinquantacinquemila!" disse accalorandosi per dare gravità all'affermazione.
"Che cosa?! Sir Fogg avrebbe osato tanto? Non lo credo... Ma se è così, del resto, allora è una ragione di più per non perdere un istante."
E Passepartout riprovò ad alzarsi per andarsene. Fix, che intanto aveva fatto portare al tavolo una terza bottiglia, lo costrinse a sedersi di nuovo.
"Cinquantacinquemila sterline!" riprese. "E, se riesco, guadagno un premio di duemila sterline, capite? Ne volete cinquecento voi? A patto che mi aiutiate, ovviamente."
"Aiutarvi?!" chiese Passepartout sgranando gli occhi. "E a far cosa?"
"A trattenere il signor Fogg per qualche giorno a Hong Kong."
"Suvvia, questo è troppo!" sbottò il francese. "Non contenti di far

pedinare il mio padrone, di sospettare della sua lealtà, quei gentiluomini suoi colleghi del Club vogliono pure provocare altri intoppi?! Mi vergogno per loro!"

"Davvero?! Ma che cosa intendete dire con questo?" domandò Fix.

"Voglio dire che è una vera grossolanità. Sarebbe proprio come spogliare Sir Fogg e tirargli fuori il denaro direttamente dalle tasche."

"Ed è esattamente quello a cui vogliamo arrivare!"

"Allora questa è proprio una trappola!" gridò Passepartout, che si stava animando grazie agli effetti del brandy che Fix gli serviva e che beveva senza rendersi conto. "Una vera e propria trappola! E sono pure dei gentlemen... dei colleghi!"

Fix cominciava a non capire più nulla.

"Dei colleghi!" continuava a esclamare Passepartout. «Dei membri del Reform Club! Sappiate, signor Fix, che il mio padrone è un uomo per bene e che, quando fa una scommessa, la fa solo per vincerla in modo leale."

"Ma, insomma, chi credete che io sia?!" domandò Fix, fissando Passepartout.

"Accidenti! Siete un agente dei membri del Reform Club con l'incarico di controllare il viaggio del mio padrone, e questa è una cosa davvero vile! Tanto che, anche se avevo intuito la cosa già da molto tempo, mi sono ben guardato dal riferirla a Sir Fogg!"

"Lui non sa nulla?» domandò Fix, facendosi improvvisamente vivace.

"Nulla" e, dicendolo, Passepartout vuotò l'ennesimo bicchiere che Fix gli aveva riempito.

Il detective si passò una mano sulla fronte e rifletté un attimo. L'errore di Passepartout sembrava onestamente ingenuo. Era evidente che quel giovanotto era in buona fede e non era complice del suo padrone.

"Bene, dal momento che non è suo complice, mi aiuterà!" Questa fu la conclusione a cui Fix arrivò in un lampo, ormai deciso a giocarsi l'ultima carta.

"Sentite, amico mio" disse a bassa voce, quasi parlando all'orecchio di Passepartout. "Io non sono quello che voi credete: sono un detective, incaricato dalla Polizia di Londra di una delicata missione."

"Voi! Un poliziotto?!"
"Sì, e ve lo dimostro. Ecco il mio brevetto."
Fix lo tolse dal portafogli e mostrò al compagno il documento incontestabilmete firmato dal capo della polizia britannica.
Passepartout non riusciva più a profferire parola.
"La scommessa del signor Fogg" riprese Fix "è un pretesto con cui ha abbindolato voi e i suoi colleghi del Club, perché aveva interesse ad assicurarsi la vostra inconsapevole complicità. E ora vi spiego: lo scorso 29 settembre un individio di cui furono poi resi noti i connotati, commise un furto ai danni della Banca d'Inghilterra sottraendo cinquantacinquemila sterline. Ora, guardate qui i connotati che sono stati diramati: lineamento per lineamento sono quelli di Sir Fogg."
Passepartout batté un poderoso pugno sul tavolino.
"Non ci credo!" gridò. "Il mio padrone è il più brav'uomo di questo mondo!"
"Che cosa ne sapete voi?" insinuò il detective. "Non lo conoscete nemmeno! Siete entrato al suo servizio il giorno stesso in cui partì con un pretesto, senza valigia, portando con sé una grossa somma in banconote. E voi insistete nel sostenere che si tratta di un uomo onesto?"
"Sì! Sì!" continuava a ripetere macchinalmente il povero giovanotto.
"Preferite correre il rischio di essere arrestato come suo complice?"
Passepartout si portò le mani alla testa. Era irriconoscibile.
Non osava più guardare in faccia l'ispettore di polizia e nella mente gli turbinavano mille pensieri. Phileas Fogg, un ladro? Lui, il salvatore di Auda, l'uomo generoso e tutto coraggio?! Eppure, quanti sospetti erano contro di lui! Passepartout avrebbe voluto scacciare quegli orribili sospetti che la voce insinuante del poliziotto insisteva a instillargli in testa come un tormento. Non voleva credere alla colpevolezza del suo padrone.
"Insomma, cosa volete da me?" chiese alla fine, concentrandosi per un ultimo sforzo.
"Ora vi spiego. Ho seguito Sir Fogg fin qui, ma non ho ancora ricevuto il mandato per arrestarlo. Dovete aiutarmi a trattenere il vostro padrone a Hong Kong."

"Io, aiutarvi a..."
"Dividerò con voi il premio di duemila sterline promesso dalla Banca d'Inghilterra."
"Mai!"
Passepartout tentò di rialzarsi, ma le gambe gli vacillarono e ricadde a sedere.
"Signor Fix" disse a fatica, "se anche tutto quello che mi avete detto fosse vero, se anche il mio padrone fosse il ladro che cercate (cosa che io nego!), sono stato... sono al suo servizio. L'ho visto buono e generoso... Tradirlo? Mai! No, per tutto l'oro del mondo! Io, signor Fix, sono cresciuto con diverse abitudini!"
"Rifiutate?"
"Rifiuto."
"E allora" si affrettò a concludere il detective, "facciamo come se non avessi detto nulla. E beviamo, come prima, da amici."
"Sì! Beviamo!"
Passepartout si sentiva sempre meno sobrio.
Il detective seguiva attentamente con lo sguardo ogni sua espressione e concluse che era giunto il momento di farla finita.
Sulla tavola c'erano alcune pipe cariche di oppio. Fix ne pose abilmente una nella mano di Passepartout, che l'afferrò, se la portò alle labbra, l'accese, ne trasse alcune boccate e subito lasciò ciondolare la testa appesantita.
"Finalmente!" pensò soddisfatto Fix, rimanendo per un attimo a guardare Passepartout pesantemente addormentato. "Sir Fogg può aspettare!"
E il detective uscì, dopo aver pagato il conto.

20 Fix entra in contatto diretto con Phileas Fogg

Del tutto ignaro di quel che stava accadendo alla fumeria del porto, e che stava per mettere in grave pericolo il suo viaggio, Phileas Fogg passeggiava per le vie di Hong Kong con la signora Auda.

Doveva provvedere all'acquisto degli oggetti che sarebbero stati necessari alla giovane nel lungo viaggio. Che un inglese come lui facesse il giro del mondo con una sacca da viaggio poteva pure essere, ma una donna non poteva intraprendere una simile traversata in quelle condizioni. Perciò era assolutamente necessario acquistare oggetti e abiti.

Il signor Fogg se ne occupò con la calma e la signorilità che gli erano solite; e ogni volta che la signora Auda, confusa da tanta gentilezza, si scusava o ringraziava, rispondeva invariabilmente: "Non vi preoccupate, signora: tutto questo rientra nel mio programma".

Fatti gli acquisti, il gentleman e la giovane tornarono all'albergo e cenarono a una tavola rotonda. La signora Auda risalì poi nel suo appartamento. Phileas Fogg rimase in salone tutta la sera, assorto nella lettura del *Times* e dell'*Illustrated London News*.

Se fosse stato tipo da meravigliarsi per qualcosa, si sarebbe stupito di non veder rientrare il suo servo all'ora di andare a coricarsi, ma siccome sapeva che il piroscafo per Yokohama non sarebbe partito prima dell'indomani, non si preoccupò affatto per quell'assenza.

La mattina successiva, Passepartout non accorse alla scampanellata del signor Fogg. Che cosa pensasse il gentleman scoprendo che il servo non era rientrato all'albergo, nessuno potrebbe dirlo.

Phileas Fogg si contentò di prendere personalmente il proprio sacco da viaggio, fece avvertire la signora Auda e chiese che fosse noleggiato un palanchino.

Erano le 8 e l'uscita del *Carnatic* dal porto era prevista per le 9 e 30, cioè appena fosse cominciata l'alta marea. Il palanchino portò i viaggiatori sul molo d'imbarco in meno di mezz'ora, mentre i bagagli li seguivano sopra una carriola.

Una sorpresa attendeva il signor Fogg: il *Carnatic* era salpato già la sera prima. Il gentleman, che aveva creduto di trovare al porto sia il servo sia il piroscafo, fu dunque costretto a rinunciare all'uno e all'altro.
Ma nemmeno in quell'occasione sul suo volto apparve il minimo segno di fastidio. Alla signora Auda, che lo guardava inquieta, il gentleman si limitò a rispondere: "È un piccolo incidente, signora. Nient'altro".
In quel momento, un tizio che da un po' di tempo spiava Phileas Fogg gli si avvicinò. Era Fix. Salutò e disse: "Se non sbaglio, signore, voi siete come me uno dei passeggeri sbarcati ieri dal *Rangoon*".
"Esatto" rispose freddamente il signor Fogg. "Ma non ho l'onore di..."
"Perdonate: credevo di trovare qui il vostro domestico."
La signora Auda, ansiosa, chiese subito allo sconosciuto: "Sapete qualcosa di lui, signore?"
"Ma come!?" rispose Fix, fingendo una gran sorpresa. "Non è con voi?"
"No" rispose la signora Auda. "Non lo vediamo da ieri. Credete si sia imbarcato sul *Carnatic* senza di noi?"
"Ma allora anche voi, se mi posso permettere di chiederlo, volevate partire con quel piroscafo?"
"Sì, signore."
"Anch'io, signora! E ora sono veramente in affanno! Il *Carnatic* ha levato l'ancora con dodici ore di anticipo, e senza avvisare nessuno. Ora dobbiamo aspettare la bellezza di otto giorni prima che ci sia un'altra partenza!"
Pronunciando queste parole il detective si sentiva il cuore gonfio di gioia: aveva la certezza che il destino ormai fosse dalla sua parte. Quindi, fu come se una tegola gli fosse caduta in testa quando sentì Phileas Fogg dire con tranquillità: "Per fortuna mi sembra che ci siano ben altre navi nel porto di Hong Kong!"
Sir Fogg, offrendo il braccio alla signora Auda, si diresse verso i dock, alla ricerca di una nave in partenza. Fix, sconcertato, gli andò dietro quasi senza pensarci. Sembrava che un filo lo legasse a quell'uomo.
Tuttavia, sembrava proprio che la fortuna avesse effettivamente abbandonato quell'uomo dopo averlo tanto aiutato fino ad allora.

Per tre ore di fila Phileas Fogg perlustrò il porto percorrendolo in lungo e in largo deciso, se necessario, a noleggiare una nave che lo portasse a Yokohama, ma vide solo battelli che stavano caricando o scaricando merci e che dunque non potevano salpare.
Le speranze di Fix si riaccesero.
Nonostante tutto, Sir Fogg non si abbatteva e aveva tutta l'intenzione di continuare le sue ricerche, si trattasse pure di spingersi fino a Macao, quando sull'avamporto fu avvicinato da un marinaio.
"La signoria vostra cerca una nave?" chiese, levandosi il cappello davanti a Phileas Fogg che procedeva adagio lungo il molo e studiava la moltitudine di velieri all'ancora.
"Avete una nave pronta per partire?" gli chiese di rimando il gentleman.
"Sì, per servire la vostra altezza illustrissima. Una nave-pilota, la numero 43, la migliore della flottiglia di questo porto."
"Viaggia veloce?"
"Dalle otto alle nove miglia all'ora. Volete vederla?"
"E sia."
"A vostro onore piacerà sicuramente. Vostro onore intende fare una gita in mare?"
"No, voglio intraprendere un viaggio. Vi potete assumere l'incarico di portarci a Yokohama?"
A quelle parole, il marinaio restò con le braccia penzoloni e gli occhi spalancati.
"A vostro onore piace scherzare?"
"Per nulla. Ho mancato la partenza del *Carnatic*, e devo essere a Yokohama non più tardi del 14, per potermi imbarcare sul piroscafo che partirà per San Francisco da quel porto."
"Mi dispiace" rispose il pilota, "ma non posso proprio!"
«Vi offro cento sterline al giorno, più un premio di duecento sterline se arriviamo in tempo."
Il marinaio si era tirato da parte e guardava il mare: evidentemente era combattuto fra il desiderio di guadagnare quella somma enorme e la paura di avventurarsi tanto lontano. Fix, che aveva assistito a tutta la scena, era dibattuto tra angosce mortali.

Nel frattempo, Sir Fogg si rivolse alla signora Auda.
"Non avrete paura, signora?" le chiese.
"Con voi no, Sir Fogg" rispose, con la sua voce soave.
Il marinaio tornò ad avvicinarsi al gentleman, rigirando il berretto fra le mani.
"Dunque?" chiese Phileas Fogg.
"Ebbene, vostro onore mi scuserà, ma io non posso mettere a rischio né i miei uomini né me, né voi stesso in un viaggio tanto lungo, su un veliero di appena venti tonnellate, e per di più in questa stagione. Del resto, non arriveremmo in tempo, poiché tra Hong Kong e Yokohama ci sono ben milleseicentocinquanta miglia."
"Milleseicento soltanto" lo corresse Sir Fogg. "Ma fa lo stesso."
Fix si sentì sollevato.
"Del resto" aggiunse il marinaio, "ci sarebbe forse il modo di trovare una soluzione diversa."
Il respiro di Fix si bloccò all'improvviso.
"Come?" domandò Phileas Fogg.
"Andando a Nagasaki, all'estremità meridionale del Giappone, a millecento miglia, oppure solamente a Shanghai, a ottocento miglia da Hong Kong. Con quest'ultima traversata non ci allontaneremmo mai molto dalla costa cinese, e sarebbe un grande vantaggio, tanto più che le correnti spingono verso nord."
"Marinaio" rispose Phileas Fogg, "è a Yokohama che io devo prendere il piroscafo per l'America, né a Shanghai né a Nagasaki."
"Perché no?" rispose quello. "Il piroscafo per San Francisco non parte da Yokohama. Fa scalo a Yokohama e a Nagasaki, ma il suo porto di partenza è Shanghai."
"Siete sicuro di quel che dite?"
"Sicurissimo."
"E quando parte il piroscafo da Shanghai?"
"L'11, alle 19. Abbiamo ancora quattro giorni, ossia novantasei ore: a una media di otto miglia all'ora, se il mare si mantiene calmo e il vento favorevole, copriremo comodamente le ottocento miglia che ci separano da Shanghai."

"E quando potremmo partire?"
"Fra un'ora. Mi basta il tempo per far provviste di cibo e per dispiegare le vele."
"L'affare è fatto... Siete voi il padrone del battello?"
"Sì, sono John Bunsby, il padrone della *Tankadère*."
"Volete una caparra?"
"Se a vostro onore non dispiace, l'apprezzerei."
"Ecco duecento sterline come acconto... Signore" aggiunse Phileas Fogg, rivolto a Fix, "se desiderate approfittarne..."
Il detective non si lasciò sfuggire l'occasione.
"Sir" rispose precipitosamente, "stavo proprio per chiedervi questo gran favore!"
"Bene. Fra mezz'ora saremo a bordo."
"Ma... quel povero ragazzo..." disse la signora Auda, molto preoccupata per la scomparsa di Passepartout.
"A questo proposito, sto per fare tutto ciò che mi è possibile, signora" rispose Phileas Fogg.
Mentre Fix, nervoso, ansioso, avvelenato per il contrattempo, saliva a bordo della goletta, il signor Fogg e la sua bella compagna di viaggio andarono agli uffici della Polizia di Hong Kong. Là Phileas Fogg fornì i connotati di Passepartout e lasciò una somma sufficiente a far rimpatriare il giovane. Adempì alle stesse formalità presso il Consolato di Francia.
Un palanchino riportò i viaggiatori all'albergo, dove poterono ritirare i bagagli, e poi all'avamporto. Un orologio batteva i tre rintocchi del pomeriggio.
Il battello-pilota numero 43, con l'equipaggio a bordo, aveva imbarcato i viveri ed era pronto a salpare.
La *Tankadère* era una piccola e graziosa goletta di venti tonnellate, snella di prua, con i fianchi sottili e assai affusolata lungo le linee di galleggiamento. La si sarebbe detta uno yacht da corsa. I suoi dettagli in ottone erano lucidi, le sue guarnizioni in ferro galvanizzate, il suo ponte bianco come l'avorio: tutto indicava che John Bunsby faceva di tutto per tenerla in ottimo stato. I suoi due alberi si piegavano

visibilmente verso poppa. Portava randa, trinchetto, trinchettina, fiocco e frecce e poteva anche armare una vela di fortuna per il vento in poppa. Doveva filare in maniera meravigliosa e, in realtà, aveva già guadagnato parecchi premi nelle competizioni tra battelli-pilota.
L'equipaggio della *Tankadère* era composto, oltre che dal padrone, da quattro marinai. Erano tutti espertissimi di quei mari, abituati ad avventurarsi con qualsiasi tempo alla ricerca delle navi, e perciò pronti ad affrontare ogni pericolo. John Bunsby, il padrone, con il suo sguardo vivo e la sua espressione energica, avrebbe ispirato particolare fiducia anche ai più esitanti. Egli in persona accompagnò i passeggeri, attraverso il boccaporto di poppa, nella saletta di bordo che doveva essere il loro alloggio. C'erano un divano circolare e un tavolo rischiarato da una lampada di rollio. Tutto piccolo, ma pulitissimo.
"Mi dispiace non potervi offrire qualcosa di più spazioso" disse Sir Fogg a Fix, che si inchinò senza rispondere.
Il detective provava una specie di umiliazione ad approfittare così della gentilezza della sua vittima.
"In realtà" pensò, "è solo un furfante molto cortese. Ma questo non toglie che sia pur sempre un furfante!"
Le vele furono spiegate alle 15 e 10. La bandiera d'Inghilterra sventolò al picco della goletta. I passeggeri salirono sul ponte e con una certa insistenza la signora Auda e Phileas Fogg continuavano a guardare verso il molo, ancora con la speranza di veder comparire Passepartout. Fix, al contrario, era preoccupato che per caso potesse ricapitargli tra i piedi quel dannato francese.
In quel caso si sarebbe resa necessaria qualche spiegazione e ciò non sarebbe stato in nessun modo favorevole per il poliziotto. Ma il francese non comparve e, senza dubbio, il narcotico lo teneva ancora sotto il suo malefico influsso.
Finalmente, padron John Bunsby prese il largo e la *Tankadère*, con il vento sotto la randa, la vela di trinchetto e i fiocchi, si slanciò saltellando sulle onde.

21 Il proprietario della Tankadère corre il serio rischio di perdere un premio di duecento sterline

Percorrere ottocento miglia su un'imbarcazione di appena venti tonnellate e soprattutto in quella stagione era davvero una spedizione avventurosa. I mari della Cina sono generalmente pericolosi poiché esposti a terribili colpi di vento, soprattutto durante gli equinozi, ed era per l'appunto l'inizio del mese di novembre.

Sarebbe stato più vantaggioso per il pilota portare i suoi passeggeri fino a Yokohama, visto che era pagato un tanto al giorno. Ma sarebbe stato veramente troppo imprudente se avesse tentato di fare una simile traversata in quelle condizioni, ed era già abbastanza audace, se non addirittura temerario, a risalire fino a Shanghai.

John Bunsby, tuttavia, aveva fiducia nella sua *Tankadère*, che si alzava sulle onde come un sughero, e forse non aveva torto.

Durante le ultime ore della giornata, la *Tankadère* dovette attraversare i passi imprevedibili di Hong Kong e in ogni situazione se la cavò magnificamente.

"Non occorre, capitano, ch'io vi raccomandi la massima diligenza" disse Phileas Fogg nel momento in cui la *Tankadère* entrava in alto mare.

"Vostro onore, si fidi tranquillamente di me. Quanto a vele, siamo attrezzati alla perfezione e la goletta regge egregiamente il vento. E, a ogni modo, tutto è pronto per ammainare con prontezza in caso di necessità."

"È il vostro mestiere e non il mio, capitano. Mi affido a voi."

Phileas Fogg, in piedi sul ponte, saldamente equilibrandosi sulle gambe divaricate, come un provetto marinaio, guardava la distesa delle onde con le creste chiumose.

La signora Auda sedeva a poppa e lasciava vagare lo sguardo sull'oceano già oscurato dal crepuscolo. La giovane era commossa al pensiero di affrontare quella immensità su un'imbarcazione così fragile. Al disopra della sua tetsa si spiegavano, come ali, le vele bianche e altissime. La goletta, spinta dal vento, sembrava volare sulle onde.

Calò la notte. La luna entrava nel suo primo quarto e la sua luce fioca sarebbe svanita ben presto nell'oscurità dell'orizzonte. Da est sopraggiungevano schiere di nubi e già occupavano una parte del cielo. Il pilota aveva disposto i fuochi di posizione, una precauzione necessaria in mari tanto frequentati in prossimità dei porti di attracco. Non erano rari gli scontri tra natanti e, alla velocità con cui correva, la goletta si sarebbe frantumata al minimo urto.

Fix era a prora e rifletteva. Se ne stava in disparte perché sapeva che Fogg non amava fare conversazione. D'altronde gli ripugnava l'idea di parlare a quell'uomo di cui già accettava l'aiuto.

Tra le molte cose, Fix pensava anche al futuro. Gli sembrava certo che Sir Fogg non si sarebbe fermato a Yokohama, ma avrebbe immediatamente preso il piroscafo per San Francisco per raggiungere l'America, la cui ampiezza gli avrebbe garantito sicurezza e impunità. Il piano di Phileas Fogg gli pareva il più semplice possibile.

Invece d'imbarcarsi direttamente per gli Stati Uniti dall'Inghilterra, come un comune malfattore, Sir Fogg aveva fatto un giro largo e attraversato i tre quarti del globo per raggiungere nel modo più sicuro il continente americano dove, dopo aver seminato la polizia, si sarebbe goduto tranquillamente i milioni della Banca. Ma, una volta giunto in terra americana, Fix che cosa avrebbe fatto? Avrebbe lasciato perdere quell'uomo? No, mille volte no! Fino a che non avesse ottenuto un mandato di estradizione non l'avrebbe abbandonato per un solo istante.

Questo era il suo dovere ed egli l'avrebbe adempiuto fino in fondo. A ogni modo, si era verificata una circostanza fortunata: Passepartout non era più con il suo padrone e, soprattutto dopo le confidenze di Fix, era importante che il padrone e il domestico non si rivedessero mai più.

Nemmeno Phileas Fogg, dal canto suo, riusciva a smettere di pensare al suo domestico, sparito in maniera tanto singolare. E, dopo avere analizzato ogni tipo di riflessione, gli pareva possibile che, in seguito a un malinteso, il povero ragazzo si fosse imbarcato sul *Carnatic* all'ultimo momento. Anche la signora Auda, che rimpiangeva moltissimo

quell'onesto servitore, al quale doveva tanto, condivideva questa opinione. Poteva essere, quindi, che lo avrebbero ritrovato a Yokohama e sarebbe stato facile sapere se il *Carnatic* ve lo avesse trasportato.
Verso le 22, si levò la brezza. Forse sarebbe stato prudente prendere una mano di terzarolo ma il pilota, dopo aver studiato il cielo, lasciò la velatura dispiegata come già era. D'altronde, la *Tankadère* reggeva perfettamente la velatura, poiché aveva un notevole pescaggio, e tutto era già predisposto per l'ammainaggio rapido in caso di necessità.
Verso mezzanotte, Phileas Fogg e la signora Auda scesero in cabina. Fix, che li aveva preceduti, si era disteso in una cuccetta.
Il pilota e i suoi uomini trascorsero l'intera notte sul ponte.
Il giorno successivo, l'8 novembre, al sorgere del sole, la goletta aveva percorso più di cento miglia. Il solcometro, gettato con frequenza, indicava che la sua velocità era tra le otto e le nove miglia. La *Tankadère* aveva sciolto tutte le vele, ciascuna delle quali dava il proprio contributo, così che la goletta filava alla massima velocità che le era possibile. Se il vento fosse rimasto in quelle condizioni, avevano ottime possibilità di rispettare la tabella di marcia.
Per tutta quella giornata la *Tankadère* non si allontanò dalla costa, le cui correnti le erano favorevoli. La teneva a circa cinque miglia a babordo e la costa, dal profilo irregolare, compariva occasionalmente attraverso alcuni bagliori. Il vento soffiava da terra e quindi il mare era abbastanza tranquillo: la condizione era propizia per la goletta, poiché le imbarcazioni di piccolo tonnellaggio risentono soprattutto dei marosi che ostacolano la loro velocità, che – come dicono i marinai nel loro gergo – 'le uccidono'.
Verso mezzogiorno, la brezza si indebolì un poco e spirò lo scirocco. Il pilota fece levare le contro-rande, ma in capo a due ore le dovette ammainare perché il vento aumentò d'intensità.
Sir Fogg e la sua compagna di viaggio, indifferenti per fortuna al mal di mare, continuarono a mangiare con appetito i cibi e le conserve di bordo. Fix fu invitato alla loro tavola e alla fine dovette accettare. Ma si sentiva turbato: viaggiare a spese di quell'individuo e nutrirsi anche alla sua tavola gli pareva un cosa indegna di un uomo leale.

Mangiò pochissimo e, appena ebbe terminato il pasto, decise di parlare a Phileas Fogg.
"Signore" gli disse dopo qualche esitazione, "siete stato molto gentile a offrirmi un passaggio su questa nave. Nel limite delle mie possibilità, io intendo naturalmente pagare la mia quota di spesa."
"Non ne parliamo nemmeno" lo interruppe Sir Fogg.
"Sì, insisto!"
"Vi dico di no. Per me, tutto questo rientra nelle spese generali previste."
Il tono di voce di Phileas Fogg era tale che non ammetteva replica. Fix s'inchinò, ma si sentiva come soffocare. Andò a stendersi a prua della goletta e per tutto il giorno non disse più parola.
Intanto, la *Tankadère* filava come se partecipasse a una regata.
Il premio promesso da Phileas Fogg aveva risvegliato l'equipaggio, che s'avvicendava alle manovre con il massimo zelo.
A sera, il capitano calcolò che fossero state percorse 220 miglia.
"Credo proprio che giungeremo a Shanghai nel tempo stabilito" annunciò contentissimo John Bunsby a Sir Fogg.
"Conto molto sul fatto che così sia" rispose Fogg con la massima naturalezza.
Durante la notte, la *Tankadère* imboccò lo stretto di Fo-Kien che separa la grande isola di Formosa dalla costa cinese e attraversa il Tropico del Cancro. La navigazione era molto difficile in quello stretto agitato da correnti e controcorrenti. Le onde corte e tumultuose scuotevano tanto l'imbarcazione leggera, che era quasi impossibile stare in piedi sul ponte.
Quando spuntò il giorno, l'intensità del vento aumentò ancora. In cielo molti indizi sembravano annunciare un tifone. Anche il barometro annunciava un prossimo cambiamento del tempo: durante la giornata le sue segnalazioni erano variate ripetutamente e il mercurio oscillava in maniera capricciosa.
Si vedeva il mare sollevarsi in direzione sud-est con ondate che preannunciavano la tempesta. La sera precedente, il sole era tramontato in una foschia rossastra, tra gli scintillii fosforescenti dell'oceano.

Il pilota esaminò con minuzia ogni dettaglio del brutto aspetto del cielo e mormorò tra i denti qualcosa di inintelligibile. A un tratto, trovandosi accanto al suo viaggiatore, gli sussurrò: "Si può dire tutto a vostro onore?"
"Tutto" sottolineò Phileas Fogg.
"Ebbene, tra non molto ci sarà una tempesta di vento."
"Verrà da nord o da sud?" chiese semplicemente Sir Fogg.
"Da sud. Vedrete: quello che si sta preparando è un vero e proprio tifone!"
"Che venga pure il tifone da sud, perché ci spingerà nella direzione giusta" rispose Sir Fogg.
«Se la prendete così" replicò il pilota, "io non ho altro da aggiungere!"
I presentimenti di John Bunsby erano esatti. In una stagione meno avanzata dell'anno, il tifone – per usare l'espressione di un celebre meteorologo – si sarebbe sciolto come una luminosa cascata di fiamme elettriche, ma durante l'equinozio d'inverno c'era da temere che si scatenasse con violenza.
Il pilota prese tutte le precauzioni necessarie. Fece imbogliare tutte le vele della goletta e ammainare i pennoni sul ponte. Gli alberetti furono smontati. L'albero di fiocco fu fatto rientrare. I boccaporti furono sigillati con cura. Di conseguenza, neanche una goccia d'acqua poteva più penetrare nello scafo. Solo una vela triangolare, un fiocco di cappa di tela forte, venne issato come trinchetto, giusto per mantenere la goletta col vento in poppa. E iniziò l'attesa.
John Bunsby aveva suggerito ai passeggeri di scendere nella cabina, ma la prospettiva di imprigionarsi in uno spazio molto ristretto, quasi privo d'aria, e in mezzo alle scosse delle onde, non aveva nulla di attraente. Né Sir Fogg né la signora Auda né lo stesso Fix vollero abbandonare il ponte.
Verso le 20, la burrasca di pioggia, spinta da un vento impetuoso, arrivò alla nave.
Pur offrendo la resistenza solo di un piccolo pezzo di tela, la *Tankadère* fu trascinata come una piuma da un vento di cui è quasi impossibile dare un'idea esatta quando soffia durante la tempesta. Paragonare la

sua velocità a quella quadruplicata di una locomotiva lanciata a tutto vapore, sarebbe ancora un paragone inadeguato.

Per l'intera giornata la goletta fuggì verso nord sul dorso di onde ciclopiche, mantenendo fortunatamente una velocità uguale alla loro. Venti volte fu sul punto di essere sommersa dalle montagne d'acqua che si levavano a poppa. Ma, ogni volta, un abile colpo di barra dato dal timoniere evitava la catastrofe.

I passeggeri venivano di tanto in tanto bagnati di spuma dalla testa ai piedi e dovevano restare aggrappati a qualche sostegno per non essere spazzati via e scaraventati in mare dalle onde che frustavano la tolda.

Fix imprecava. La signora Auda, a fianco di Phileas Fogg, si mostrava intrepida e calma non meno di lui mentre attorno si scatenava e ruggiva la furia degli elementi. Quanto a Phileas Fogg, si sarebbe potuto credere che anche le intemperie rientrassero nei suoi programmi di viaggio.

Verso sera, come si era a lungo temuto, il vento virò di tre quarti e prese la direzione sud-ovest. La goletta, che ora riceveva le ondate di fianco, sobbalzava da non credere: tutte le sue connessioni scricchiolavano e sembrava che da un momento all'altro la piccola imbarcazione dovesse sfasciarsi per i violenti urti del mare.

Ma era costruita saldamente, la *Tankadère*! E resistette.

La forza del tifone andava aumentando mentre, con l'avvicinarsi della notte, le tenebre si stendevano sul mare ancora più fitte di quanto non avessero già fatto nell'arco della giornata. I frequenti bagliori dei lampi scendevano come una cascata di fiamme elettriche dal cielo alla superficie sconvolta delle onde, aumentando l'orrore del buio.

John Bunsby cominciava a essere profondamente inquieto. Cominciava a chiedersi se non fosse il caso di cercare riparo in un porto e si consultò a questo proposito con i suoi marinai.

Tutti si dichiararono d'accordo. Il capitano decise allora di parlare a Sir Fogg.

"Vorrei dire a vostro onore che credo faremmo bene a riparare sulla costa, in un porto."

"Lo penso anch'io" rispose il gentleman.

John Bunsby si sentì sollevato.

"Ah!" esclamò soddisfatto. "Allora posso cambiare rotta e puntare su..."
"Conosco un solo porto che faccia al caso mio."
"E qual è?"
"Shanghai."
Il capitano rimase per alcuni secondi senza parole, non riuscendo bene a capire cosa significasse quella risposta e quanto racchiudesse di ostinazione e di tenacia. Ma si riprese subito.
"E sia!" esclamò. "Vostro onore ha ragione: a Shanghai!"
E la *Tankadère* continuò la sua rotta verso nord filando a fari accesi nel buio della notte. E che terribile notte! Fu solo per un miracolo che la goletta non si capovolse. A un certo punto il tifone la investì con una forza tale da sembrare sul punto di strapparle da bordo persino le alberature.
La signora Auda era provata, ma non le sfuggì un solo grido e nemmeno si lasciò scappare un lamento per la stanchezza. Parecchie volte Sir Fogg si dovette precipitare verso di lei per proteggerla dai marosi.
Spuntò il giorno, ma la tempesta non accennava a diminuire. Il vento cambiò ancora direzione e cadde verso sud-est, provocando un violentissimo cozzare tra onda e onda da cui la goletta fu travolta come un guscio in balia dell'oceano.
Più tardi la nebbia si diradò un poco. Di tanto in tanto fra gli squarci della foschia si poteva scorgere la linea della costa, ma nessuna nave in vista. La *Tankadère* era sola sul mare livido che il tifone faceva ribollire come una caldaia.
Nel chiaro del mattino, con una debole brezza che accarezzava le onde increspate appena, la goletta filava a vele spiegate, a quarantacinque miglia da Shanghai. Era il terzo giorno di navigazione.
La tempesta era cessata da qualche ora e l'equipaggio e i passeggeri poterono finalmente prendere un po' di riposo e rifocillarsi. A bordo regnava però una strana agitazione, come se un timore scuotesse gli animi. Ognuno, naturalmente con la sola eccezione di Phileas Fogg, sentiva il cuore agitato dall'ansia.
Non restavano che sei ore per arrivare a Shanghai prima che il piroscafo diretto in Giappone partisse. Quindi, per coprire le qua-

rantacinque miglia e arrivare in tempo, la goletta avrebbe dovuto mantenere almeno la media di otto miglia all'ora. E il vento perdeva gradualmente forza!

Per fortuna, le vele della *Tankadère* erano così ben manovrate da sfruttare al meglio anche le brezze più capricciose e il capitano e i marinai si impegnavano a far miracoli.

Alle 18 la goletta era solo a dieci miglia dal tanto sospirato porto. Alle 19 era a tre miglia. La partenza da Shanghai del piroscafo diretto a Yokohama era prevista proprio per quell'ora.

"Maledizione!"

L'esclamazione era uscita con rabbia dalle labbra di John Bunsby, che aveva perduto la calma. Il premio di duecento sterline gli era ormai sfuggito! Il capitano guardò Phileas Fogg e Phileas Fogg rimase impassibile. Eppure, in quel preciso istante era in gioco tutta la sua fortuna. Proprio in quel momento, un tubo nero coronato da un pennacchio di fumo si delineò in lontananza, tra le brume: lentamente prese forma il profilo di uno steamer.

Era il piroscafo statunitense che prendeva il largo all'ora stabilita!

"Maledizione!" ripeté John Bunsby che, con una mossa disperata, respinse la barra.

"Fate dei segnali!" ordinò Phileas Fogg, calmo ma determinato.

Il cannoncino di prua fu caricato fino alla bocca e il capitano s'avvicinò per dar fuoco alla miccia e far partire il colpo. Fu interrotto da un cenno del gentleman, che impartì un altro comando: "Un momento! Mettete la bandiera a mezz'asta".

La bandiera fu ammainata come richiesto. Era un segnale di pericolo: si poteva pensare che il piroscafo, vedendolo, modificasse la rotta per accostarsi alla piccola imbarcazione.

"E ora fuoco!" ordinò Phileas Fogg.

E la detonazione del cannoncino della *Tankadère* echeggiò sul mare.

22 Passepartout s'accorge che anche agli antipodi è opportuno avere un po' di denaro in tasca

Il *Carnatic* aveva lasciato Hong Kong il 7 novembre alle 18 e 30, dirigendosi a tutto vapore verso il Giappone. Portava un carico quasi completo di merci e passeggeri. Soltanto due lussuose cabine rimanevano vuote a poppa: erano quelle fissate per Sir Phileas Fogg e la signora Auda.

La mattina dopo la partenza, i marinai del *Carnatic* addetti alla prua avevano visto, con estrema sorpresa, un passeggero dall'occhio inebetito, l'andatura vacillante e i capelli spettinati, che usciva dal boccaporto della seconda classe e barcollando andava a sedersi su un mucchio di corde. Era Passepartout in persona, che l'ultima volta lasciammo addormentato nella taverna dei fumatori d'oppio.

Ecco cos'era accaduto.

Quando Fix era uscito dalla fumeria lasciandolo lì completamente stordito, Passepartout era stato raccolto da due camerieri e trascinato sul divano dove già altri fumatori dormivano profondamente.

Passepartout si era risvegliato tre ore più tardi. Anche mentre dormiva un'idea fissa lo aveva assillato senza sosta, come un incubo, aiutandolo a reagire al potere soporifero dell'oppio. La preoccupazione per il dovere che non aveva portato a termine lo aveva risvegliato dal sonno.

Lasciò quel letto di ubriaconi addormentati e, malfermo sulle gambe, appoggiandosi ai muri, scivolando e rialzandosi, ma sempre sospinto dalla forza di volontà, uscì dalla taverna.

"Il *Carnatic*! Il *Carnatic*!" gridava come se stesse vaneggiando.

In quello stato raggiunse il molo dove il *Carnatic*, pronto per la partenza, emetteva dalla ciminiera ampi sbuffi di fumo.

"Ancora pochi passi, e sono arrivato!"

Passepartout, compiendo l'ultimo miracolo di equilibrio, si slanciò lungo la passerella, oltrepassò la murata del bastimento e cadde svenuto sul tavolato di prua nell'istante esatto in cui il *Carnatic* scioglieva gli ormeggi.

Alcuni marinai, che erano abituati a scene del genere, raccolsero il povero giovanotto e lo calarono in una cabina della seconda classe, dove Passepartout si svegliò solo la mattina successiva, a centocinquanta miglia dalle coste della Cina. Ecco perché quella mattina il domestico di Sir Fogg si trovava sul ponte del *Carnatic* a inspirare la fresca brezza marina. L'aria pura finì di dissolvere anche gli ultimi residui del fumo d'oppio e il giovane poté cominciare a raccogliere le idee.

Tutta la scena che si era svolta il giorno prima alla fumeria del porto, le confidenze di Fix, la sua proposta e la sua diabolica insistenza gli tornarono in mente poco a poco alla memoria. E, collegando i fatti e le parole, Passepartout finì per tirare le conclusioni: "È chiaro: sono stato ubriacato di proposito! Che cosa dirà mai il mio padrone? Comunque, non ho mancato la partenza del piroscafo e questo è l'essenziale. Ora la cosa più urgente che devo fare è andare da Sir Fogg e cercare di farmi perdonare per la mia pessima condotta. Sarà opportuno anche che lo informi della parte che Fix ha avuto in questa faccenda... O, piuttosto, non sarà meglio aspettare di arrivare a Londra per dirgli che un poliziotto lo ha braccato fino a Hong Kong, e riderne insieme?"

Passepartout era certo che Fix, dopo avergli fatto quella proposta, non potesse aver osato seguirlo sul *Carnatic* e perciò decise di attenersi al comportamento più prudente.

"Sì, per ora è bene non turbare Sir Fogg con il racconto di questi ignobili sospetti. Ne riparleremo a viaggio concluso. Intanto, andiamo a porgere le nostre scuse."

Passepartout si alzò. Il mare era agitato e il piroscafo rollava e beccheggiava. Ancora malfermo sulle gambe, il giovanotto fece non poca fatica per arrivare a poppa. Là non trovò nessuno che somigliasse al suo padrone o alla signora Auda.

"Ho capito" pensò. "La signora Auda starà ancora a riposando e Sir Fogg avrà trovato qualche compagno di whist e starà facendo la sua solita partita."

Dunque, il domestico scese nel salone. Ma Sir Fogg non c'era. A Passepartout non restò altro da fare che andare dal commissario di bordo per sapere quale cabina occupava Sir Phileas Fogg.

"Non abbiamo a bordo nessun passeggero con questo nome" fu la risposta del commissario.
"Ma... come? Un gentleman alto, biondo, molto elegante, di carattere un po' freddo e poco comunicativo, accompagnato da una signora giovane..."
"A bordo non c'è nessuna giovane signora. Conunque, ecco l'elenco dei passeggeri: potete consultarlo."
Passepartout scorse l'elenco. Il nome del suo padrone non vi appariva. Fu come se il povero giovane fosse stato colto dalle vertigini. E un atroce dubbio si fece largo nella sua mente: "Cielo! Sono o non sono sul *Carnatic?*"
"Siete sul *Carnatic*" confermò il commissario.
"Sono in viaggio verso Yokohama?"
"Esattamente."
"Per fortuna!"
Passepartout, che per un attimo aveva temuto di aver sbagliato il vapore, respirò di sollievo.
Già... ma se egli era sul *Carnatic*, lo stesso il suo padrone non c'era! A questo pensiero il giovanotto si lasciò cadere sconfortato su una sedia. E d'un tratto un lampo gli illuminò la testa. Si ricordò che l'ora della partenza del *Carnatic* era stata anticipata, che avrebbe dovuto essere lui ad avvertire il padrone, e che invece non lo aveva fatto.
"Colpa mia se Sir Fogg e la signora Auda hanno perduto il piroscafo!" ripeteva a se stesso, al colmo della disperazione. "Sì, è colpa mia... ma è colpa anche di quel traditore che, per mettermi contro il mio padrone e per trattenere lui a Hong Kong, mi ha ubriacato e mi ha narcotizzato con l'oppio! E ora Sir Fogg è rovinato, la sua scommessa è certamente perduta. Forse lo hanno persino arrestato e magari messo in carcere!"
Passepartout non poteva sostenere quel pensiero, e si strappava i capelli. Oh, se Fix gli fosse ricapitato per caso tra le mani, gliel'avrebbe fatta pagare! Dopo la prima crisi di scoraggiamento, il giovanotto recuperò il suo sangue freddo e analizzò la situazione con calma.
"Mi trovo in viaggio per il Giappone, e va bene: vi arriverò di certo.

Ma come farò a tornarmene via? Non ho niente in tasca: nemmeno un penny! Meno male che questa tratta e il vitto a bordo sono pagati! E, allora, intanto facciamoci coraggio e mangiamo. Ho cinque o sei giorni davanti a me per riflettere e prendere una decisione."

È difficile descrivere quel che Passepartout mangiò e bevve durante il viaggio fino a Yokohama: mangiò per il suo padrone, per la signora Auda e per sé; mangiò come se il Giappone, dove stava per arrivare, fosse un posto deserto privo di qualsiasi genere commestibile.

Il 13 novembre, con la marea del mattino, il *Carnatic* entrò nel porto di Yokohama. La città era uno scalo importante del Pacifico, in cui sostavano tutti i piroscafi impiegati per il servizio di posta e di viaggiatori tra l'America Settentrionale, la Cina, il Giappone e le isole della Malesia. Yokohama si trova nella medesima baia di Yeddo (Tokyo), poco lontano da questa città smisurata, seconda capitale dell'impero giapponese, residenza del Taikun nel tempo in cui vi regnava questo imperatore civile, e rivale di Meako (Kyoto), la grande città abitata dal Mikado, l'imperatore ecclesiastico discendente dagli dei.

Il *Carnatic* si ancorò al molo di Yokohama, di fronte ai magazzini della dogana, in mezzo a una gran quantità di navi che battevano bandiere di ogni nazionalità. Passepartout mise piede senza entusiasmo sulla curiosa terra dei 'Figli del Sole'.

"Il meglio che posso fare" pensò, "è prendere come guida il caso e andare all'avventura, sempre avanti. Qualcosa capiterà."

Si addentrò nel rumoroso quartiere europeo. Case e facciate basse ed eleganti, ornate di verande e portici, strade ampie, vaste piazze formicolanti anche qui – come a Hong Kong, come a Calcutta – di un miscuglio di gente di tutte le razze: americani, inglesi, cinesi, olandesi, mercanti pronti a comprare di tutto e a vendere di tutto, tra i quali Passepartout si sentiva estraneo come se fosse nel paese degli ottentotti. Avrebbe avuto una possibilità: rivolgersi al Console di Francia o al Console d'Inghilterra che avevano sede a Yokohama. Ma, in quel caso, avrebbe dovuto raccontare la propria storia, che era tanto intimamente legata a quella del suo padrone.

"No, assolutamente!" si ripromise il fido servitore. "Questa mossa potrebbe essere un'imprudenza nei riguardi di Sir Fogg. Prima di decidermi a una cosa simile, dovrei veramente aver esaurito qualsiasi altra speranza."

Dopo avere percorso per intero il quartiere europeo, Passepartout entrò nella vera e propria città giapponese, deciso – se fosse stato il caso – a uscire anche da Yokohama e ad andar vagando in altri centri abitati dell'Impero del Sol Levante, fino a Yeddo.

Nel cuore di Yokohama, che viene chiamata anche Benten (dal nome di una Dea del Mare adorata sulle isole vicine), Passepartout vagabondò per alcune ore, riuscendo quasi a dimenticare le proprie sciagure, tanta era la curiosa varietà dello spettacolo che si offriva ai suoi occhi. Interminabili viali fiancheggiati da abeti e da cedri secolari e, riparati sotto la loro malinconica ombra, templi di un'architettura strana, monasteri dal cui interno saliva il salmodiare dei bonzi.

Nelle strade era un continuo andirivieni, un formicolio incessante: bonzi che passavano in processione al ritmo dei loro tamburelli; yakunini, cioè ufficiali della dogana o della polizia, con i cappelli a piramide acuminata e incrostati di lacca; soldati del Mikado infagottati nelle giubbe di seta e ciascuno con due daghe alla cintola; soldati vestiti di cotone blu a righe bianche e armati di fucili a percussione; e un gran numero di militari di ogni condizione, poiché in Giappone la professione militare è tanto stimata quanto viene disprezzata in Cina; poi pellegrini mendicanti in lunghe vesti; e ancora carrozze, palanchini, carriole a vela, morimon con le pareti di lacca, soffici cango, veri letti di bambù trainati da piccoli cavalli.

Si vedevano circolare, col passo leggero dei minuscoli piedi calzati in sandali di paglia o in zoccoletti di legno scolpito, esili figure femminili dai capelli d'ebano, che portavano con grazia il kimono di seta a tinte cangianti come ali di farfalla.

Passepartout girovagò per molte ore nel mezzo di quella folla variegata, ponti nascosti in mezzo a ciuffi di canne, bazar dove scintillavano le minuterie dell'oreficeria giapponese, ristoranti decorati con insegne e banderuole e dove, purtroppo, a Passepartout era impossibile entrare. Dovunque, poi, un fiorire di confortevoli case da tè, nelle quali si po-

teva consumare la deliziosa bevanda calda e aromatica, o il sake, altra bevanda molto apprezzata in Giappone e ricavata dalla fermentazione del riso; e le confortevoli fumerie in cui si consuma un tabacco molto fine e non l'oppio, il cui impiego è quasi sconosciuto in Giappone.
Passepartout si ritrovò poi tra i campi, tra risaie immense. Lì si schiudevano, insieme con fiori che gettavano i loro ultimi colori e i loro ultimi profumi, delle meravigliose camelie cresciute non su cespugli, ma su veri e propri alberi e poi, dietro recinti di bambù, alberi di ciliegio, susini, meli, che gli indigeni coltivano più per i fiori che per i frutti, difesi da orribili spaventapasseri e rumorosi aggeggi che spaventano passeri, colombi, corvi e altri voraci volatili. Non c'era cedro maestoso che non offrisse riparo a qualche grossa aquila; ciascun salice ospitava tra il suo fogliame qualche airone malinconicamente ripiegato su una zampa; e, infine, un po' ovunque si vedevano cornacchie, anatre, sparvieri, oche selvatiche e un gran numero di quelle gru che i Giapponesi rispettosamente chiamano 'signore' e che sono il simbolo nazionale della longevità e della felicità.
Passeggiando, Passepartout intravide nell'erba qualche violetta. "Bene" si disse, "ecco la mia cena!"
Ma, dopo averle annusate, non sentì alcun profumo.
"Non ho proprio fortuna!" pensò.
Come si sa, prevedendo come sarebbero andate le cose, prima di lasciare il *Carnatic*, il giovanotto aveva ingurgitato quanto più cibo aveva potuto; ma, dopo aver camminato per un'intera giornata, si sentiva lo stomaco vuoto. Aveva notato che le carni di pecore, capre o maiali mancavano del tutto dai banconi dei macellai locali e, siccome sapeva che era un sacrilegio uccidere le mucche, che venivano destinate unicamente alle necessità dell'agricoltura, ne aveva concluso che la carne fosse rara in Giappone. Non sbagliava. Ma, in mancanza di carne da macelleria, il suo stomaco sarebbe stato contento anche per qualche quarto di cinghiale o di daino, di pernice o di quaglia, di volatili o di pesci, di cui i giapponesi si nutrono quasi esclusivamente insieme con il ricavato delle risaie. Ma dovette rassegnarsi alla sua sfortuna e rimandare al giorno dopo la necessità di provvedere al

proprio cibo. Intanto, stava calando la notte. Passepartout rientrò nel cuore della città giapponese e prese a gironzolare per le vie rischiarate dalle lanterne multicolori, ogni tanto soffermandosi a guardare gruppi di funamboli che eseguivano le loro acrobatiche peripezie e gli astrologi che all'aperto richiamavano la folla attorno ai loro lunghi cannocchiali puntati verso il cielo. Prese poi la direzione della rada, punteggiata dai fuochi dei pescatori che attiravano il pesce con la luce di torce fumose. Poco alla volta, le strade divennero deserte. Il posto occupato dalla folla fu sottoposto alla vigilanza dalle ronde degli yakunini. Questi ufficiali, per i loro magnifici costumi e per il seguito da cui erano circondati, somigliavano ad ambasciatori, e Passepartout, ogni volta che s'imbatteva in una splendida pattuglia, si ripeteva con delizia: "Ci siamo! Ecco un'altra ambasceria giapponese che parte per l'Europa!"

23 Il naso di Passepartout diventa smodatamente lungo

Il giorno successivo, Passepartout si svegliò con le ossa rotte e affamato più che mai. Il suo primo pensiero fu che doveva assolutamente mangiare, a qualunque costo, e quanto prima fosse accaduto tanto meglio sarebbe stato. Gli restava pur sempre la possibilità di vendere il proprio orologio, ma avrebbe preferito morire di fame. Il poveretto decise allora che era giunto il momento di sfruttare la voce forte, se non proprio melodiosa, che madre natura gli aveva regalato.

"Mi pare di ricordare che i Giapponesi amano molto la musica, e infatti presso di loro tutto si fa al suono di cimbali, di tam-tam e di tamburi. Dovrebbero perciò apprezzare anche un po' di bel canto europeo. Conosco un discreto repertorio di canzonette francesi e anche inglesi. Vediamo… con quale potrei cominciare?"

Ma forse era un po' troppo presto al mattino per organizzare un con-

certo e il francese, molto opportunamente, pensò di non disturbare la gente nel sonno, perché di sicuro non l'avrebbero ripagato con monete con l'effige del Mikado.
In attesa che arrivasse l'ora migliore per dare inizio alla sua professione di cantante girovago, che non sarebbe stata esattamente nuova visto che l'aveva già esercitata in tempi assai lontani, Passepartout si fermò a riflettere e pensò di essere troppo ben vestito per un artista ambulante.
"Se sostituissi gli abiti che indosso con altri più modesti e alla giapponese, in modo da sembrare un po' meno forestiero? Magari nel cambio potrei anche guadagnare un po' di denaro da spendere immediatamente per far tacere lo stomaco."
Presa questa decisione, dopo lunghe ricerche, Passepartout cercò e scoprì un rigattiere al quale propose lo cambio. Al rigattiere l'abito all'europea piacque molto e qualche istante dopo Passepartout uscì dalla botteguccia vestito da vero giapponese, con una lunga veste ricca di galloni e piuttosto malandata e con una specie di turbante scolorito per l'uso. Ma, in compenso, aveva alcune monete d'argento che gli tintinnavano in tasca.
"Bene. Farò come se fosse carnevale" disse il giovanotto a se stesso.
E così 'giapponesizzato' entrò in una modesta bottega da tè, dove finalmente poté mettere qualcosa sotto i denti: un avanzo di pollo e una modesta manciata di riso.
Mentre masticava adagio adagio il suo panino, come fa chi ancora deve risolvere il problema del pranzo e della cena, il giovanotto rifletteva: "Si tratta di non perdere la testa. Devo tener presente che non ho più abiti da barattare! Dunque, l'importante è andarsene via quanto prima da questo paese del Sole, di cui conserverò un ricordo ben amaro".
Passepartout pensò allora di fare una capatina al molo da cui partivano i piroscafi per l'America: voleva proporsi come cuoco o cameriere, senza chiedere altra retribuzione se non il passaggio e il vitto. A San Francisco, poi, si sarebbe ingegnato a trovare un'altra soluzione: l'importante era attraversare il Pacifico e riuscire a mettere piede sul Nuovo Mondo.

Siccome non era uomo da trascurare una buona idea, si diresse subito al porto. Ma, strada facendo, il progetto che inizialmente gli era sembrato tanto semplice cominciò a sembrargli pieno di difficoltà. Era mai possibile che a bordo di un piroscafo americano mancassero cuochi o camerieri? E quale fiducia avrebbe potuto ispirare, vestito a quel modo? Con quali raccomandazioni o referenze poteva mai presentarsi? Mentre si macerava in simili incertezze, per caso Passepartout posò lo sguardo su un cartellone che un clown con la livrea di un circo portava su e giù per le vie di Yokohama. Lesse l'annuncio, che era scritto in inglese:

Compagnia Acrobatica Giapponese dell'onorevole William Batulcar.
Ultime rappresentazioni, prima della partenza per gli Stati Uniti d'America, dei famosissimi Lunghi-Nasi!
Spettacolo straordinario sotto la diretta invocazione del dio Tengù.
Grande attrazione!

"Una compagnia d'acrobati in partenza per gli Stati Uniti! Esattamente quello che fa per me!"
Con quattro salti Passepartout raggiunse l'uomo-cartello e gli rimase dietro attraverso tutta l'area giapponese della città.
Dopo un quarto d'ora di giravolte, il clown si fermò finalmente davanti a un baraccone decorato con festoni multicolori e colorato all'esterno con tinte chiassose e con goffe figure senza prospettiva che rappresentavano buffoni e giocolieri intenti nelle loro acrobazie.Quello era il circo dell'onorevole Batulcar, direttore di una compagnia di saltimbanchi, ginnasti, acrobati, giocolieri, pagliacci, equilibristi e via discorrendo. Come annunciato dal manifesto, la compagnia aveva in programma le ultime rappresentazioni, poiché l'indomani avrebbe levato le tende e sarebbe partita per l'America.Passepartout passò sotto un breve porticato che si trovava a fianco del baraccone e chiese del signor Batulcar. Il signor Batulcar in persona comparve.
"Che cosa desiderate?" domandò a quello sconosciuto, che a prima vista gli era sembrato un giapponese.

"Avete bisogno d'un servitore?" buttò lì Passepartout un po' titubante. Il signor Batulcar si passò le dita tra il folto pizzo grigio che gli ornava il mento.

"Un servo!" ripeté. "Ne ho già due, obbedienti, fedeli, che non mi lascerebbero mai e che stanno al mio servizio anche senza chiedere salario, purché io li sfami. Eccoli!"

Parlando a quel modo, il padrone del circo mostrava le sue braccia muscolose, solcate da vene grosse come le corde di un contrabbasso.

"Quindi, non posso esservi utile in nessuna maniera?" insisté Passepartout.

"In nessunissima."

"Perbacco! Eppure mi sarebbe stato proprio prezioso partire con voi."

"Oh, oh" disse il signor Batulcar, "se voi siete giapponese, io sono una scimmia! Perché mai siete vestito in questa maniera?"

"Mi sono vestito come ho potuto."

"Giusto, a volte si fa così. Siete francese, a quanto pare."

"Sì, sono un parigino di Parigi."

"Allora siete capace di fare molte smorfie."

Passepartout, offeso da quella frase che urtava il suo amor proprio, rispose prontamente: "Oh, sì! Noi francesi sappiamo fare molte smorfie, ma non facciamo meglio degli Americani".

"Siete spiritoso! Va bene, se non vi assumo come servo posso però scritturarvi come clown. Giovanotto, sappiate che funziona così: in Francia ci vogliono pagliacci stranieri, e all'estero pagliacci francesi."

"Certo."

"E, dite un po': siete robusto?"

"Specialmente quando mi alzo da tavola!"

"Sapete cantare?"

"Certo che sì!" rispose prontamente Passepartout. "In passato, ho fatto concerti cantando all'aperto... per le strade, s'intende."

"Sareste capace anche di cantare a testa in giù, con una trottola che gira sulla pianta del piede sinistro e una sciabola in equilibrio sulla pianta del piede destro?"

"E come no! Sono stati proprio questi gli esercizi in cui mi sono cimentato da giovane."
"E allora" fu la conclusione del signor Batulcar, "se siete disposto a fare un po' di tutto, si potrebbe combinare. Per far parte della mia compagnia, cercate di capirmi, tutto sta nell'adattarsi."
Anche se la scritturazione, assai modesta e in funzione di pagliaccio, non lusingava molto l'amor proprio di passepartout, alla fin fine era pur sempre una sistemazione, che gli offriva anche la possibilità di trovarsi di lì a otto giorni in viaggio per San Francisco. Passepartout accettò subito e il contratto fu stipulato all'istante.
La rappresentazione del pomeriggio, annunciata in tutta la città dai pagliacci della Compagnia Batulcar, doveva avere inizio alle 15.
Già un'ora prima dell'inizio i fragorosi strumenti che immancabilmente fanno parte di qualsiasi orchestra giapponese, come i tamburi e i gong, suonavano forte davanti all'ingresso del baraccone, che ben presto fu letteralmente gremito di spettatori: europei e indigeni, cinesi e giapponesi – uomini, donne e ragazzi – avevano preso d'assalto le strette panche disposte a gradinata e i palchi che erano stati eretti di fronte alla scena. All'ora fissata per l'inizio della rappresentazione, l'orchestra al completo andò a occupare il suo posto sul proscenio. Gong, nacchere, tamburi, flauti, timpani e grancasse rimbombavano in un assordante crescendo. Infine, la musica tacque e lo spettacolo ebbe inizio.
Bisogna ammettere che i giapponesi sono i migliori equilibristi al mondo, e quelli della Compagnia Batulcar spiccavano tra tutti.
Uno camminava su spade sistemate di taglio, un altro correva su esili cavi di acciaio tesi a una notevole altezza da terra da una parte all'altra della scena. Qualcuno, con una leggerezza che sembrava sfidare la gravità, percorreva in punta di piedi il giro dell'orlo sottilissimo di grandi vasi di cristallo; qualcuno saliva su fragili e altissime scale di bambù e poi da lassù, in mirabolante equilibrio, con un ventaglio e piccoli pezzi di carta, eseguiva il graziosissimo esercizio delle farfalle e dei fiori. C'erano anche i giocolieri specializzati nello scrivere sull'aria, con il fumo aromatico delle pipe, una serie di parole azzur-

rine che formavano un complimento per il pubblico. Non mancavano i prestigiatori che eseguivano stupefacenti giochi d'abilità con delle candele accese: le facevano passare una dopo l'altra davanti alla bocca, accendendole, spegnendole, riaccendendole con sequenze d'inspirazioni ed espirazioni, senza usare nessuna esca.

I più applauditi dai ragazzi erano i giocolieri che si esibivano in magnifiche combinazioni con le trottole giranti. Sotto la loro mano quegli aggeggi rotanti sembravano vivere di vita propria. I giocolieri saltavano e le trottole saltavano e giravano in aria insieme a loro; le lanciavano come fossero volani, con racchette di legno, e le trottole seguitavano a vorticare; se le mettevano in tasca e, quando le tiravano fuori, stavano ancora girando; finché, allo scattare d'una molla, si trasformavano in... scoppiettanti fuochi d'artificio!

Applausi scroscianti salutavano di volta in volta tutti questi giochi e le esibizioni di ginnasti e acrobati: esercizi alla scala, alle pertiche, alle botti. Finalmente, il signor Batulcar in persona, con il megafono alla bocca, annunciò il sensazionale numero che era l'attrazione principale.

"Signori, i Lunghi-Nasi stanno per dare inizio ai loro equilibrismi! È uno spettacolo dei più rari e finora soltanto il pubblico di poche città del Giappone ha avuto il privilegio di ammirarlo."

Quei Lunghi-Nasi – prodigiosi equilibristi che ancora non erano mai stati in Europa – erano vestiti come eroi del Medioevo e avevano uno splendido paio d'ali attaccato alle spalle, come segno della loro particolare e devota sudditanza al dio Tengù. Ma ciò che più di tutto il resto li distingueva era lo smisurato naso finto saldamente fissato sui loro volti, e che consisteva in una canna di bambù lunga più di tre spanne, a volte liscia e a volte bitorzoluta.

A cosa servissero quei lunghissimi nasi, gli spettatori lo capirono con incredula meraviglia quando videro una dozzina di loro coricarsi supini sulla scena, con i nasi puntati in aria come parafulmini, e i compagni cominciare a scatenarsi là sopra danzando, saltando, piroettando, rimbalzando da un naso all'altro con estrema disinvoltura.

Per concludere, i seguaci del dio Tengù si accinsero a presentare

l'esercizio più difficile del repertorio: la piramide umana. Il signor Batulcar annunciò con voce stentorea: "Signori, la piramide umana dei Lunghi-Nasi rappresenterà, come voi stessi potrete constatare, il sacro carro del dio Tengù. La comporranno cento equilibristi scelti e sistemati in dieci ordini sovrapposti: ma essi non si appoggeranno, come si fa di solito, l'uno sulle spalle dell'altro, bensì sui... nasi!"
Il pubblico applaudì freneticamente. L'attesa era carica d'emozione.
Tra gli equilibristi scelti che apparvero in scena e andarono a formare la base del carro del dio Tengù c'era anche Passepartout. Il signor Batulcar, che a colpo d'occhio aveva ben valutato la forza e l'abilità di quel nuovo acquisto, lo aveva subito messo a prestare il suo valido appoggio nel pericoloso esercizio della piramide umana, facendogli sostituire un altro equilibrista che proprio in quei giorni aveva lasciato la Compagnia.
Certo, Passepartout si era sentito un po' avvilito nell'indossare quella veste medioevale che sapeva di farsa ed era decorata da ali multicolori e nel sentirsi applicare sul viso quel naso di tre palmi. Ma poi si era rassegnato trovando forza in un pensiero filosofico: "In fin dei conti, questo naso mi dà da mangiare. Non abbattiamoci".
Ora Passepartout era là, nella fila dei dieci equilibristi stesi a terra con il naso puntato contro il cielo. Una seconda squadra di agilissimi atleti prese posto sulle lunghe appendici dei compagni. Una terza la seguì e poi un'altra, e un'altra ancora... fino a che, in un batter d'occhio, un monumento umano si eresse fino a toccare il soffitto del teatro.
Gli applausi scrosciavano fino alle stelle e gli strumenti dell'orchestra strepitavano come un uragano. All'improvviso, però, la piramide vacillò e l'equilibrio si ruppe: uno dei punti d'appoggio della base si era tirato indietro. Il monumento si sfasciò come un castello di carte.
Mentre sulla scena avveniva il fragoroso crollo, si vide uno degli equilibristi scavalcare la balaustra con un balzo e, come se davvero le ali variopinte gli consentissero di volare, arrampicarsi sulla galleria di destra, arrivare alle ultime gradinate e lassù cadere ai piedi di uno spettatore gridando: "Ah, Padrone mio! padrone mio!"
"Voi?!"

"Sì, io! Proprio io!"
"Allora via, al piroscafo, ragazzo! Non c'è un solo momento da perdere."
Sir Fogg, la signora Auda che lo accompagnava e il ritrovato Passepartout si precipitarono fuori del baraccone. Lì trovarono il signor Batulcar che sbarrava il passo, furente, e reclamava i danni per il crollo della piramide e lo sciagurato fallimento dello spettacolo.
Phileas Fogg placò il suo furore gettando addosso al grosso padrone del circo una manciata di banconote.
Alle 18 e 30 in punto, cinque minuti prima che il piroscafo per San Francisco lanciasse il segnale di partenza, Sir Fogg e la signora Auda salivano a bordo seguiti da Passepartout, che ancora portava attaccate alla schiena le ali e sulla faccia teneva ancora quel naso di tre spanne, di cui non aveva avuto il modo di liberarsi.

24 La traversata dell'oceano Pacifico viene portata a termine

Si sarà ormai capito cosa era successo al largo di Shanghai! I segnali lanciati dalla *Tankadère* erano stati ricevuti dal piroscafo di Yokohama. Il capitano, avvistando una bandiera a mezz'asta, si era diretto alla piccola goletta. Qualche minuto più tardi, Phileas Fogg, pagando il passaggio ricevuto al prezzo che era stato concordato, metteva nelle mani di padron John Bunsby cinquecentocinquanta sterline. Poi il gentleman, la signora Auda e Fix erano saliti a bordo del piroscafo, che aveva subito fatto rotta per Nagasaki e Yokohama.
Erano approdati quella stessa mattina del 14 novembre, perfettamente puntuali. Phileas Fogg, lasciando Fix ai suoi affari, si era recato a bordo del *Carnatic* e aveva scoperto – con grande gioia della signora Auda, e forse anche sua sebbene non lasciasse trasparire nulla – che Passepartout era effettivamente salito a bordo il giorno prima a Yokohama.

Phileas Fogg, che doveva ripartire quella sera stessa per San Francisco, si era immediatamente messo alla ricerca del suo domestico. Si era rivolto, ma inutilmente, ai rappresentanti consolari francese e inglese e, dopo avere battuto tutte le strade di Yokohama, aveva ormai perso ogni speranza di ritrovare Passepartout, quando il caso (o, forse, una specie di presentimento), lo avevano fatto entrare nel baraccone della Compagnia Batulcar. Tuttavia, non avrebbe riconosciuto il suo domestico sotto quell'eccentrico travestimento; ma era stato il suo domestico che, dalla sua posizione rovesciata, aveva riconosciuto il padrone nella galleria. Non era riuscito a trattenersi dal muovere il naso e questo aveva rovinato l'equilibrio e provocato tutto ciò che ne era seguito.

Questo era quanto Passepartout venne a sapere dalla stessa signora Auda, che gli riferì pure come fosse avvenuta la traversata da Hong Kong a Yokohama, in compagnia di un certo Fix, sulla goletta *Tankadère*. Quando sentì il nome di Fix, Passepartout non si tradì con nessun gesto. Riteneva che non fosse ancora il momento di riferire al suo padrone quanto era accaduto tra lui e il detective. Perciò, narrando le sue avventure, Passepartout prese su di sé tutta la colpa e si scusò solo per essersi lasciato cogliere dallo stordimento dell'oppio in una fumeria di Hong Kong. Sir Fogg ascoltò con freddo distacco il racconto, senza dire nemmeno una parola; poi offrì al suo domestico una disponibilità di denaro sufficiente perché potesse procurarsi a bordo del piroscafo abiti adatti alla situazione. E tutto questo prima che fosse trascorsa un'ora da che il giovanotto si era levato il naso finto e si era strappato via le ali, eliminando così tutto ciò che gli poteva ricordare d'essere stato un seguace del dio Tengù.

Il piroscafo che compiva la traversata da Yokohama a San Francisco apparteneva alla Compagnia del Pacific Mail Steam e si chiamava *General-Grant*. Era uno splendido steamer a ruote con duemilacinquecento tonnellate di stazza, ben attrezzato e capace di una grande velocità. Un enorme bilanciere si alzava e si abbassava alternativamente al di sopra del ponte e a una delle sue estremità un giunto collegava la sbarra di un pistone e all'altra quella di una biella che, trasformando il movimento rettilineo in un movimento circolare, azionava diretta-

mente l'albero delle ruote. Il *General-Grant* era attrezzato come un tre alberi da goletta e vantava una grande superficie di velatura, che sosteneva molto la spinta del vapore.
Filando alla velocità di dodici miglia all'ora, il piroscafo non avrebbe dovuto impiegare più di ventun giorni per attraversare il Pacifico. Phileas Fogg, quindi, credeva ragionevolmente che, sbarcando il 2 dicembre a San Francisco, sarebbe potuto arrivare l'11 a New York e il 20 a Londra, addirittura anticipando di qualche ora la data fatidica del 21 dicembre.
I passeggeri a bordo erano un buon numero: inglesi, americani, una vera migrazione di coolies, gli operai cinesi, e molti ufficiali dell'esercito coloniale delle Indie che approfittavano del loro congedo per compiere una crociera intorno al mondo.
La traversata procedeva al meglio, su un oceano tanto calmo da giustificare totalmente il suo nome di Pacifico. Il piroscafo, sostenuto dalle larghe ruote e appoggiato dalla robusta velatura, rollava appena. Silenzioso e, come al solito, per nulla comunicativo, Sir Fogg trascorreva a bordo vita uniforme e regolare, riservando ogni giorno qualche ora per far compagnia alla signora Auda.
La giovane indiana, con il passare del tempo e lo svolgersi delle vicende, sentiva sempre più di nutrire per il gentleman sentimenti non solo di riconoscenza ma anche di ammirazione. Quell'indole così silenziosa e generosa colpiva la sua immaginazione e, quasi senza accorgersene, la signora Auda lasciava crescere dentro di sé un delicato sentimento di simpatia, di cui Phileas Fogg pareva non subisse per nulla l'influenza.
Chi sapeva leggere nel cuore della signora Auda era, invece, Passepartout. E ora che la giovane si interessava come lui ai progetti di Sir Fogg e all'esito del suo viaggio, molto spesso la donna e il domestico s'intrattenevano a chiacchierare degli argomenti di comune interesse.
"La parte più difficile è fatta!" asseriva con convinzione Passepartout, trascinando con il proprio entusiasmo la sua ascoltatrice. "Siamo finalmente riusciti ad allontanarci da quei fantastici paesi che sono la Cina e il Giappone! Per fortuna, ritorniamo in terre civili. Ormai, bastano un treno che ci porti da San Francisco a New York e un piroscafo che

da New York ci sbarchi a Londra: e Sir Fogg avrà bell'e finito il suo giro del mondo, in tempo per vincere la scommessa!"

L'ottimismo del francese poggiava su qualche valido fondamento. Nove giorni dopo avere lasciato Yokohama, Phileas Fogg aveva percorso esattamente la metà del globo terrestre. Infatti il *General-Grant*, alle 9 del 23 novembre, passava il meridiano 180 che è quello diametralmente opposto al meridiano di Londra.

È pur vero che, degli ottanta giorni messi a sua disposizione, Sir Fogg ne aveva già impiegati cinquantadue e non gliene rimanevano che ventotto. Ma è doveroso notare che il gentleman si trovava a metà strada quanto a meridiani, ma in realtà aveva già percorso più di due terzi del tragitto totale. Il percorso, infatti, non seguiva circolarmente il parallelo di Londra (in questo caso sarebbe stato di sole dodicimila miglia); ma, comprese tutte le giravolte da Londra ad Aden, da Aden a Bombay, da Bombay a Calcutta, da Calcutta a Singapore, da Singapore a Yokohama, contava in totale ventiseimila miglia, di cui Phileas Fogg ne aveva già percorse diciassettemilacinquecento. Alla data del 23 novembre, perciò, gli restavano da percorrere, in linea retta, soltanto ottomilacinquecento miglia.

"E Fix non è più tra i piedi a mettere ostacoli!" concluse Passepartout tra sé e sé, al colmo della contentezza.

Accadde anche che, sempre quel 23 novembre, il bravo giovanotto provasse un'altra immensa gioia. Il suo orologio ereditato dal nonno, che, a dispetto di tutti i consigli che gli erano stati dati, si era ostinato a mantenere sull'ora di Londra, considerando sbagliate tutte le ore dei paesi che percorreva, quel giorno, senza che nessuno lo avesse portato né avanti né indietro, si trovò esattamente sincrono con i cronometri di bordo. Quanto Passepartout si vantò di questo fatto, è cosa difficile da descrivere.

"Vorrei proprio sentire cosa avrebbe da dire Fix se fosse qui presente! Quell'imbroglione, che mi confondeva con tante fandonie su meridiani, soli e lune! Che gente, eh? Se si dovesse dare retta a loro, gran begli orologi ci sarebbero davvero! Io ero sicurissimo e anche di più che un giorno o l'altro il sole si sarebbe deciso a regolarsi sulle mie lancette."

Passepartout ignorava un fatto semplicissimo: e cioè che se il quadrante del suo orologio fosse stato suddiviso in ventiquattro ore, come accade per molti orologi italiani, non avrebbe avuto nessun motivo di rallegrarsi e vantarsi. In quel caso, infatti, quando gli orologi di bordo avessero segnato le 9 del mattino, quello di Passepartout avrebbe segnato le 21, ossia le nove di sera, essendo proprio dodici ore la differenza che passa tra Londra e il meridiano 180. Esclusivamente per il fatto che l'orologio del francese avesse il quadrante ripartito in dodici ore il divario non era rilevabile.
Se Fix anche questa volta fosse stato presente per spiegare la cosa, chissà se il testardo Passepartout sarebbe stato capace di comprenderla o, almeno, di ammetterla.
Il detective, però, questa volta non c'era. Già... dove si trovava Fix in quel momento? Fix era niente meno che a bordo del *General-Grant*.
Giunto a Yokohama, il detective aveva lasciato Sir Fogg con il proposito di rintracciarlo successivamente in giornata e si era subito precipitato negli uffici del Consolato inglese. Lì aveva finalmente trovato il famoso mandato di cattura che gli avevano spedito da Hong Kong con quello stesso *Carnatic* a bordo del quale si credeva che egli stesse viaggiando. Il disappunto strappò allo sfortunato agente un'esclamazione vigorosa: "Diavolo! Ormai questo documento è uno straccio perfettamente inutile! Il birbante ha lasciato il territorio inglese: per arrestarlo ci vuole un vero e prorio mandato di estradizione".
Ma, dopo il primo momento di collera, Fix rifletté pacatamente.
"Analizziamo con calma. Il mio mandato non è più valido qui, ma tornerà a esserlo in Inghilterra. Sembra che il ladro voglia tornare in patria credendo di avere ingannato la polizia. Perfetto! Io lo seguirò fin là. Quanto al denaro, speriamo che ne rimanga! Ma tra premi, passaggi, processi, ammende, elefanti, spese d'ogni genere, il mio uomo deve aver seminato per strada già più di cinquemila sterline... Alla fine, però, non diamocene pensiero: la Banca d'Inghilterra è ricca."
Confortato da queste riflessioni, Fix era riuscito a imbarcarsi sul *General-Grant* poco prima che vi salissero anche Phileas Fogg, il suo domestico e la signora Auda.

Con estrema meraviglia aveva riconosciuto Passepartout nonostante il suo grottesco travestimento da giocoliere e allora aveva considerato più prudente correre subito a rifugiarsi nella propria cabina per evitare di dare spiegazioni che avrebbero potuto comprometterlo. Ma quella reclusione gli pesava. E, con il trascorrere dei giorni, confidando nel fatto che la gran confusione di viaggiatori a bordo del *General-Grant* potesse farlo passare inosservato, Fix aveva iniziato a salire di tanto in tanto per prendere una boccata d'aria sul ponte.

Le montagne non s'incontrano, ma la gente sì!

Una sera, mentre faceva una tranquilla passeggiata a prua, il detective si trovò faccia a faccia con il suo nemico. Passepartout, senza pronunciare una sola parola, saltò alla gola di Fix. E, con gran divertimento di alcuni americani che assistevano alla scena e che scommisero immediatamente per lui, rifilò allo sfortunato ispettore di polizia una gragnuola di pugni che dimostrò l'indiscutibile primato del pugilato francese su quello inglese.

Quando Passepartout ebbe finito, si sentì più calmo. Fix si rialzò tutto ammaccato e, guardando il suo avversario, gli disse con tono gelido: "Avete finito?"

"Sì, per ora."

"Allora dobbiamo parlare a quattr'occhi."

"Io? Con voi?!"

"Nell'interesse del vostro padrone."

Passepartout, come stregato da quella calma, seguì il poliziotto e tutt'e due andarono a sedersi a prua.

"Voi mi avete picchiato" disse Fix. "Bene. Adesso ascoltatemi. Fin qui io sono stato l'avversario del signor Fogg. Da questo momento sto dalla sua parte."

"Finalmente!" esultò il francese. "Voi lo considerate finalmente un uomo onesto?"

"No. Lo credo un furfante... Zitto lì! Non muovetevi e lasciatemi dire. Finché il signor Fogg stette su terra inglese, il mio interesse fu trattenerlo per aspettare un mandato d'arresto. Tutto ciò che feci fu proprio per questo: fui io ad aizzare contro di lui i sacerdoti indiani di Bombay,

io vi feci ubriacare a Hong Kong per separarvi dal vostro padrone; io gli feci perdere la partenza del piroscafo per San Francisco..."
Passepartout, serrati i pugni, era sul punto di scattare. Fix lo dominò con un'occhiata calma.
"Adesso" riprese Fix, «il signor Fogg torna in Inghilterra, vero? E sia. Lo seguirò fin là. Ma d'ora in avanti mi impegnerò a rimuovere gli ostacoli dal suo cammino, con tanta cura e tanto zelo quanti ne ho finora posti per procurargliene. Lo potete vedere, dunque: il mio gioco ora è diverso ed è a vostro favore. Aggiungo che anche il vostro interesse è identico al mio, perché soltanto in Inghilterra voi saprete finalmente se siete al servizio di un ladro o di un gentiluomo."
Passepartout aveva ascoltato molto attentamente e si convinse che Fix parlasse in assoluta buona fede.
"Siamo amici?" domandò Fix.
"Amici no" rispose acutamente il francese. "Alleati sì, e con le dovute riserve, poiché al minimo accenno di tradimento vi torcerò il collo."
"Accettato" disse con tranquillità il detective.
Undici giorni dopo, il 3 dicembre, il *General-Grant* entrò nella baia della Porta d'Oro e approdò a San Francisco. Sir Fogg, a quel punto, non aveva né perduto né guadagnato un solo giorno.

25 Breve presentazione di San Francisco in una giornata di comizio elettorale

Erano le 7 quando Phileas Fogg, la signora Auda e Passepartout misero piede sul continente americano, ammesso che si possa dir così del molo galleggiante sul quale sbarcarono. Questi moli, che si alzano e si abbassano con la marea, rendono più facile il carico e lo scarico delle navi. Vi attraccano infatti i clippers di ogni dimensione, gli steamers di ogni nazionalità e quegli steam-boats a più piani che prestano servizio sul Sacramento e i suoi affluenti. Vi si accatastano anche i prodotti del commercio che si estende a Messico, Perú, Cile, Brasile, Europa, Asia, fino a tutte le isole dell'oceano Pacifico.

Passepartout, nella felicità di toccare finalmente la terra americana, aveva ben creduto di compiere il proprio sbarco eseguendo un salto pericoloso della più alta scuola. Ma quando ricadde sul tavolato del molo galleggiante, che forse era un pochino tarlato, mancò poco che lo passasse da parte a parte. Trionfante, tuttavia, per il modo con cui era letteralmente atterrato sul nuovo continente, il giovanotto cacciò un 'urrà' che fece volar via uno stormo di cormorani e di pellicani, frequentatori abituali delle tranquille baie del Pacifico.

Sir Fogg, anch'egli appena a fianco della sua compagna di viaggio, chiese a che ora sarebbe partito il treno per New York.

"Alle 18" gli fu risposto.

Dunque, restava un'intera giornata da trascorrere visitando la bella città californiana.

Il gentleman noleggiò una carrozza e vi prese posto con la signora Auda. Passepartout montò a fianco del cocchiere e la carrozza, a tre dollari la corsa, si diresse all'International Hôtel.

Dal posto elevato che occupava, il domestico di Sir Fogg godeva di un invidiabile colpo d'occhio. E fu assai sorpreso da ciò che vedeva. Dov'erano gli indiani con i trofei di penne? E dove stavano gli avventurieri cercatori d'oro, con i larghi sombrero e con il cinturone guarnito di coltelli e revolver?

Passepartout, con la mente affollata dai ricordi delle letture giovanili, si era immaginato di trovare la San Francisco leggendaria dei masnadieri, degli incendiari e degli assassini, la turbinosa bolgia in cui si raccoglievano tutti gli scapestrati attratti dall'avventura e dalla febbre dell'oro, pronti a scommettersi la vita in un duello alla pistola per un pugno della preziosa polvere. E, invece, si trovava sotto gli occhi la vita di una metropoli commerciale pulsante di un'attività più febbrile e più frastornante ancora di quelle delle metropoli come Londra e Parigi, ma altrettanto ordinata e squisitamente elegante.
Un formicolio di gente – americani ed europei – con gli abiti neri e i cappelli di seta: e, mescolati con essi, un gran numero di cinesi e di indiani. Strade lunghe e diritte, meravigliosi viali dal tracciato a scacchiera e perfettamente simmetrico, percorsi da file di carrozze, omnibus e tranvie a cavalli, fiancheggiati da palazzi con ricchissime botteghe che esponevano in vetrina prodotti provenienti dal mondo intero.
Quando Passepartout giunse poi all'International Hôtel, ebbe l'impressione di non essersi mai allontanato dall'Inghilterra.
Il pianterreno del lussuoso albergo era occupato da un immenso bar, una specie di buffet aperto gratuitamente a ogni passante, dove ognuno poteva gustare carne affumicata, zuppa con le ostriche, biscotti e finissimi formaggi di Chester. Al limite, il consumatore pagava la bibita o la birra che volesse farsi servire al bar.
"Ecco un'usanza assai simpatica, ed è un vero peccato che non si diffonda anche fuori dall'America!" pensò il giovanotto, ma tenne la considerazione per sé.
Al ristorante dell'albergo Sir Fogg e la sua compagna consumarono uno spuntino in piatti microscopici, serviti da camerieri neri dall'ampio sorriso e dal volto di un bel color cioccolato, che spiccava sullo sparato bianco dell'abito.
Quando il gentleman, sempre con la signora Auda, lasciò l'albergo per andare al Consolato a far vidimare il passaporto, trovò ad aspettarlo il suo domestico, che gli chiese se, prima di intraprendere un viaggio sulla ferrovia del Pacifico, non sarebbe stato prudente acquistare qualche dozzina di carabine Enfield e revolver Colt.

"Ho sentito parlare" disse Passepartout, "di Indiani Sioux che assaltano i treni. E non vorrei..."
"Credo che la precauzione sia inutile" rispose Phileas Fogg senza lasciar intendere d'essere impressionato. "Ma, comunque, vi lascio libero di regolarvi come vi sembra più opportuno."
E il gentleman si affrettò per arrivare in tempo a sbrigare la sua pratica. Aveva fatto appena duecento passi, che s'imbatté in Fix.
"Oh, guarda che caso assai strano! Come? C'incontriamo anche a San Francisco?! Ma allora abbiamo compiuto insieme anche la traversata del Pacifico! E come mai non ci siamo veduti a bordo? Mi spiace tanto! Comunque, Sir Fogg, sono onorato, anzi, onoratissimo di rivedervi. Non credete? Vi sono tanto debitore! E se gli affari, come penso, mi richiameranno in Europa, sarei proprio assai felice di proseguire il viaggio nella vostra tanto piacevole compagnia!"
Sir Fogg rispose educatamente che l'onore sarebbe stato soprattutto suo. E Fix, che non intendeva perderlo di vista, gli chiese il permesso di visitare con lui quella curiosa città di San Francisco. Fogg glielo accordò senza esitare.
Ed ecco dunque la signora Auda, Phileas Fogg e Fix a passeggio per le strade. Si trovarono presto in Montgomery Street, dove l'afflusso della folla era enorme. Sui marciapiedi, in mezzo alla carreggiata, sulle rotaie dei tram, nonostante il passaggio continuo di carrozze e omnibus, sulla soglia delle boutique, alle finestre di ciascuna casa e perfino sopra i tetti, c'era una folla sconfinata.
Degli uomini-sandwich, con dei cartelloni attaccati addosso, circolavano in mezzo ai pedoni. Bandiere e stendardi garrivano nel vento. Grida echeggiavano da ogni dove.
"Urrà per Kamerfield!"
"Urrà per Mandiboy!"
"Suppongo che si tratti di un confronto diretto, di un meeting come lo chiamano qui, per l'elezione di qualche alto funzionario militare o civile, o forse addirittura di un membro del Congresso, almeno a giudicare dall'animazione che si vede" disse Fix.
"A ogni buon conto" osservò Phileas Fogg, "faremmo forse meglio

a non mescolarci troppo con questa calca: i pugni, anche se sono politici, sono pur pugni."

Fix non poté trattenersi dal sorridere a quella considerazione, mentre, seguendo la signora Auda e Phileas Fogg, saliva con loro a prendere posto sull'ultimo ripiano di una gradinata che si affacciava su un terrazzo prospiciente Montgomery Street. Di fronte, sull'altro lato del viale, tra la vetrina di un mercante di carbone e quella di un negoziante di petrolio, su una specie di palco era sistemata una larga scrivania con due urne, verso le quali sembravano convergere le correnti fluttuanti della folla. Là intorno, l'agitazione raggiungeva il parossismo. Tutte le mani erano in aria: alcune rigidamente chiuse a pugno si alzavano e si abbassavano rapide, mentre intorno scoppiavano grida e il numero dei cappelli a cilindro neri diminuiva a vista d'occhio. Per la maggior parte, quei copricapo sembravano aver perduto la loro altezza normale.

"È evidentemente un meeting" disse Fix "e la questione che l'ha fatto convocare deve essere scottante. Non mi meraviglierei che se si trattasse ancora della questione dell''Alabama', anche se dovrebbe ormai essere risolta."

"Forse" rispose semplicemente Sir Fogg.

"Comunque" riprese Fix, "si confrontano due nobili campioni: l'onorevole Kamerfield e l'onorevole Mandiboy."

La signora Auda, dal canto suo, standosene stretta al braccio di Phileas Fogg, guardava con meravigliata attenzione tutta quella movimentata scena. Una sorta di flusso e riflusso agitava ora la marea di teste su cui ondeggiavano le bandiere, sparivano a tratti per ricomparire poi fatte a brandelli. A un tratto, mentre Fix stava per chiedere a un vicino quale fosse la precisa ragione di tanta effervescenza, cominciò a prendere consistenza un movimento sempre più vivido. Gli 'urrà' intervallati da improperi raddoppiarono. L'asta delle bandiere si trasformò in un'arma. Non si videro più mani, ma pugni dappertutto. Dall'alto delle carrozze e degli omnibus bloccati era tutto uno scambio di insulti e un continuo lancio di oggetti: stivali e scarpe tracciavano in aria traiettorie molto tese. Anche qualche colpo di revolver spezzò l'urlo assordante che pareva la voce del mare in tempesta.

La calca si spinse sotto alla scalinata e risalì i primi gradini. Una delle due fazioni era stata evidentemente respinta, senza che per i semplici spettatori fosse possibile capire se il vantaggio rimanesse a Mandiboy o a Kamerfield.
Fix, a cui premeva massimamente l'incolumità del suo uomo, disse deciso: "È preferibile non rimanere qui, Sir Fogg. Se in tutta questa faccenda c'entrasse per caso l'Inghilterra e se noi venissimo riconosciuti, ci troveremmo compromessi in una sgradevole baruffa".
"Un cittadino inglese..."
Phileas Fogg non riuscì a terminare la frase. Alle sue spalle, dal terrazzo in cima alla gradinata, avanzava uno spaventoso clamore.
"Hip! Hip! Urrà per Mandiboy!"
Era una torma di elettori che arrivava alla riscossa investendo di fianco i sostenitori di Kamerfield. Sir Fogg, la signora Auda e Fix furono presi tra due fuochi. Troppo tardi per sfuggire a quel torrente d'uomini armati di mazze e bastoni. Il gentleman e il detective si sforzarono di tenere riparata la giovane donna e furono malamente urtati. Phileas Fogg si difendeva bene a gomitate e anche a pugni, quando ciò si rendeva necessario. Ma la calca dei violenti che si scagliavano a colpire alla cieca, per puro spirito di rissa, era troppa.
Un gigante dalla barba rossiccia, che pareva il capo della turba, alzò il suo formidabile pugno sulla testa di Sir Fogg. Lo avrebbe conciato male se Fix, per dedizione, non si fosse preso il pugno al posto suo. Un enorme bitorzolo crebbe immediatamente sotto il cappello di seta del detective, trasformato in semplice berretta.
"Yankee!" sibilò Sir Fogg, lanciando al suo avversario uno sguardo di profondo disprezzo.
"Englishman!" rispose l'altro con lo stesso tono.
"Ci rivedremo!"
"Quando vi piacerà. Il vostro nome, signore?"
"Sir Phileas Fogg. E il vostro?"
"Colonnello Stamp Proctor."
L'ondata di gente passò oltre. Fix venne gettato a terra e si rialzò con gli abiti stracciati, ma senza ferite gravi. Il suo soprabito da viaggio si

era stracciato in due parti disuguali e i suoi pantaloni somigliavano a quelli di certi indiani, che non li indossano se prima non ne hanno tagliato via il fondo. Quel che importava era che la signora Auda fosse stata risparmiata e anche Sir Fogg avesse evitato le conseguenze di quel pugno formidabile che gli era stato riservato.

"Grazie" disse il gentleman a Fix, appena furono lontani della ressa.

"Oh, non c'è di che! Ma ora seguitemi."

"Dove?"

"Andiamo in un negozio di abiti. Anche voi ne avete bisogno."

Gli abiti di Sir Fogg erano circa nelle condizioni di quelli del detective.

"Si potrebbe pensare che ci siamo battuti per conto degli onorevoli Kamerfield e Mandiboy!" commentò Fix con un sorriso.

Mezz'ora più tardi, adeguatamente rivestiti e riforniti di cappello, i due inglesi e la signora Auda tornavano all'International Hôtel.

Passepartout era là ad aspettare il suo padrone, armato d'una mezza dozzina di revolver a sei colpi. Quando riconobbe Fix in compagnia di Sir Fogg, si scurì in volto. Ma, dopo che la signora Auda ebbe riassunto in poche parole quanto era accaduto, il giovanotto tornò sereno.

"Evidentemente Fix non è più un nemico, ma un alleato» pensò assai soddisfatto. "Ha mantenuto la parola!"

Concluso il pranzo, venne la carrozza che doveva accompagnare i viaggiatori e i loro bagagli alla stazione. Al momento di salire sulla vettura, Sir Fogg domandò a Fix: "Non avete più riveduto per caso quel colonnello Proctor?"

"No" rispose Fix. "Ritornerò apposta in America per ritrovarlo. Non è conveniente che un cittadino inglese si lasci trattare a quel modo."

Fix sorrise senza saper cosa aggiungere. Forse non prese sul serio la cosa: non sapeva che Fogg era di quella razza di inglesi che, mentre nel loro paese non sopportano il minimo duello, sanno però battersi all'estero quando si tratta di sostenere il prestigio della loro nazionalità.

Alle 18 e 45 i viaggiatori erano in stazione e trovarono il treno pronto alla partenza. Al momento di salirvi sopra, Sir Fogg fece un cenno a un addetto e chiese: "Scusate, c'è notizia che si siano verificati gravi incidenti oggi a San Francisco?"

"Oh, no, signore! Era solo un meeting organizzato per un'elezione."
"L'elezione di qualche generale dell'esercito, senza dubbio."
"No, signore: di un giudice di pace."
Sentita quella risposta, Phileas Fogg prese posto nel vagone e il treno partì a tutto vapore.

26 Si prende l'espresso della ferrovia del Pacifico

'Ocean to Ocean', dicono gli americani. E queste tre paroline caratterizzano il grande asse ferroviario che attraversa gli Stati Uniti d'America nel punto della loro massima larghezza. In realtà, il Pacific Rail-road si articola in due parti distinte: Central Pacific tra San Francisco e Ogden e Union Pacific tra Ogden e Omaha. In quel punto si congiungono cinque diverse linee, che mettono Omaha in stretta comunicazione con New York.
New York e San Francisco erano dunque congiunte da un flusso ininterrotto di metallo che misura almeno tremilasettecentoottantasei miglia. Tra Omaha e il Pacifico, la ferrovia valica un territorio frequentato ancora da nativi e selvaggi, un vasto territorio che i mormoni hanno iniziato a colonizzare a partire dal 1845, dopo la loro cacciata dall'Illinois.
In altri tempi, nelle circostanze più favorevoli, si sarebbero impiegati almeno sei mesi per andare da New York a San Francisco. E al tempo del viaggio di Phileas Fogg ci si mettevano sette giorni. Fu nel 1862 che, malgrado l'opposizione dei deputati del Sud, che volevano una linea più meridionale, il tracciato della linea ferrata venne ristretto tra il quarantunesimo e il quarantaduesimo parallelo.
Il presidente Lincoln, la cui scomparsa ha lasciato tanto rimpianto, fissò egli stesso il capolinea del nuovo percorso ferroviario nello Stato del Nebraska, nella città di Omaha.

I lavori furono subito iniziati e proseguiti con quella sollecitudine americana che non è né burocratica né polverosa. La rapidità dei lavori non doveva nuocere alla buona esecuzione dei lavori. Nella prateria si avanzava al ritmo di un miglio e mezzo al giorno. Una locomotiva, correndo sulle rotaie poste il giorno prima, trasportava le rotaie da posare il giorno seguente e scorreva sulla loro guida man mano che venivano sistemate.

Lungo il percorso, dalla Pacific Railroad si dipartono numerosi rami verso gli stati dello Iowa, del Kansas, del Colorado e dell'Oregon.

Lasciando Omaha, la ferrovia del Pacifico costeggia la riva sinistra del fiume Platte fino alla sua biforcazione in due tronchi: uno che scorreva verso nord e l'altro verso sud, quindi attraversa i campi di Laramie e le montagne Wahsatch, aggira il Lago Salato e giunge a Salt-Lake City, la capitale dei mormoni, che sprofonda nella vallata della Tuilla, poi procede attraverso il deserto americano, i monti di Cedar e Humboldt, il fiume Humboldt, la Sierra Nevada e scende di nuovo attraverso Sacramento fino al Pacifico, senza che il suo percorso superi mai la pendenza di centododici piedi per mille, nemmeno quando attraversa le Montagne Rocciose.

Questa era la lunga arteria che i treni percorrevano in sette giorni e che avrebbe consentito a Phileas Fogg (o almeno così lui sperava) di prendere il giorno 11 a New York il piroscafo diretto a Liverpool.

Il vagone occupato da Phileas Fogg era come un lungo omnibus che poggiava su due carrelli ciascuno formato da quattro ruote, articolati in modo tale da affrontare anche le curve più strette. All'interno, non era diviso in scompartimenti: c'erano due file di sedili, una su ogni lato, perpendicolari all'asse, e tra esse era aperto un corridoio che conduceva agli stanzini delle toilette, di cui era dotato ogni vagone. Per tutta la lunghezza del treno le vetture comunicavano tra loro per mezzo di passaggi e i viaggiatori potevano circolare da un capo all'altro del convoglio, che metteva a loro disposizione carrozze salotto, belvedere, ristorante o caffè. Mancavano solo i vagoni teatro. Ma si può essere sicuri che un giorno vi sarebbero stati pure quelli.

Nei passaggi circolavano in continuazione venditori di libri e di gior-

nali, che offrivano la loro merce, e venditori di liquori, di cibo, di sigari, e non mancavano certo gli acquirenti.
I viaggiatori erano partiti dalla stazione di Oakland alle 18.
La notte era già calata, una notte fredda, cupa, con un cielo nuvoloso che minacciava neve. Il treno non procedeva molto veloce. Tenendo conto delle fermate, non andava a più di venti miglia all'ora, velocità che tuttavia gli poteva consentire di valicare gli Stati Uniti nel tempo previsto.
Nel vagone le conversazioni erano sporadiche. D'altra parte, i viaggiatori erano stati ben presto colti dal sonno. Passepartout si era seduto proprio accanto all'ispettore di polizia, ma non gli rivolgeva la parola. Dopo i fatti recenti, i loro rapporti si erano molto raffreddati. Non avevano più nessuna simpatia né alcuna intimità. Fix, in realtà, non aveva per niente cambiato il suo modo di fare, mentre Passepartout manteneva un estremo riserbo, pronto a tentare di strangolare l'ex amico al primo dubbio che avesse nutrito su di lui.
Un'ora dopo la partenza del treno, cominciò a nevicare: una neve fine che, per fortuna, non ritardava la marcia del convoglio. Attraverso i finestrini si scorgeva solo un'immensa coltre bianca, a confronto della quale il vapore della locomotiva, che si lanciava in grandi volute verso il cielo, sembrava grigiastro.
Alle 20, entrò nel vagone uno steward che annunciò ai viaggiatori che era scoccata l'ora di riposare. Quella carrozza era un vagone letto e in pochi minuti fu trasformata in dormitorio. Gli schienali dei sedili furono ripiegati, i lettini accuratamente impacchettati vennero tirati fuori con un ingegnoso sistema e in qualche istante vennero improvvisate delle cabine, così ciascun viaggiatore ebbe a sua disposizione un letto confortevole e con pesanti tendaggi che difendevano da ogni sguardo indiscreto. Le lenzuola erano candide e i guanciali molto morbidi. Restava una sola cosa da fare: coricarsi e addormentarsi, e fu quello che fecero tutti, come se si fossero trovati nella confortevole cabina di un piroscafo, mentre il treno correva a tutto vapore attraverso la California. Nel territorio, che si estende tra San Francisco e Sacramento, il terreno è poco accidentato. Questa tratta ferroviaria, la

Central Pacific Road, prendeva Sacramento come punto di partenza e avanzava verso est per incrociarsi con la tratta che veniva da Omaha. Da San Francisco alla capitale della California, la linea correva direttamente in direzione di nord-est, costeggiando l'American River, che sfocia nella baia di San Pablo. Le centoventi miglia comprese tra queste due città furono percorse in sei ore, e attorno a mezzanotte, mentre i viaggiatori erano immersi nel primo sonno, il treno superò la città di Sacramento. I passeggeri, dunque, non videro nulla di questa notevole città, sede della legislatura dello Stato della California, né i suoi moli, né le sue ampie strade né i suoi splendidi hôtels, né le sue piazze e nemmeno i suoi templi. Uscendo da Sacramento, dopo avere superato le stazioni di Junction, di Roclin, di Auburn e di Colfax, il treno si incuneò nel massiccio della Sierra Nevada.

Erano le 7, quando il treno attraversò la stazione di Cisco. Un'ora dopo, il dormitorio era tornato a essere un vagone normale e i viaggiatori potevano intravedere dai finestrini il pittoresco panorama montano. Il tracciato del treno assecondava i capricci della Sierra, a tratti sui ripidi pendii montagnosi e a tratti sospeso su precipizi, evitando angoli troppo acuti grazie ad audaci curvature, calandosi in gole strettissime che sembravano non avere sbocco.

La locomotiva, sfavillante come un reliquiario con quel grande fanale che lanciava dei lampi rossastri, la campanella d'argento, lo sperone che si protendeva in avanti come un rostro, mescolava i suoi sbuffi e i suoi mugugni a quelli dei torrenti e delle cascate, e gettava il suo fumo nero nell'intreccio dei rami degli abeti.

Sul percorso ci s'imbatteva in pochissimi tunnel e ponti. La linea ferroviaria aggirava i fianchi delle montagne, senza forzare in una linea retta il tragitto più breve tra un punto e l'altro, e senza violare la natura.

Verso le 9, attraverso la valle di Carson, il treno entrava nello stato del Nevada, proseguendo sempre la corsa in direzione nord-est.

A mezzogiorno lasciava Reno, dove i viaggiatori si fermarono una ventina di minuti per mangiare. Da quel punto in avanti, la ferrovia costeggiò il fiume Humboldt e si diresse per alcune miglia a nord, seguendo il corso d'acqua. Piegò poi verso est e non perse più di vista

il corso d'acqua se non quando raggiunse gli Humboldt Ranges, che ne sono la sorgente, quasi all'estremità orientale del Nevada.
Dopo la colazione, Sir Fogg, la signora Auda e i loro compagni di viaggio ripresero posto nel vagone. Phileas Fogg, la donna, Fix e Passepartout, seduti comodamente, ammiravano il paesaggio che scorreva davanti ai loro occhi: vaste praterie, montagne che si stagliavano all'orizzonte, torrenti che spumeggiavano tra le rocce.
Talvolta un consistente gregge di bisonti che si adunava all'orizzonte sembrava una diga mobile. Questi sconfinati eserciti di ruminanti diventavano spesso un insormontabile ostacolo per il passaggio dei treni. Molti hanno visto migliaia di questi animali sfilare per ore, a ranghi strettissimi, attraverso i binari. In quel caso, la locomotiva era costretta ad arrestarsi e ad aspettare che la strada tornasse libera. Fu proprio questo che accadde ai nostri viaggiatori.
Verso le 15, la ferrovia fu sbarrata da una mandria di almeno dodicimila capi. La locomotiva, dopo avere rallentato, cercò di aprirsi un varco infilando il suo sperone nel fianco dell'interminabile colonna, ma fu costretta ad arrendersi davanti all'impenetrabilità di quella massa. Si vedevano quei ruminanti – che gli americani chiamano impropriamente bufali – procedere col loro passo tranquillo e lanciare ogni tanto terribili muggiti. Avevano una corporatura più massiccia di quella dei tori europei, con zampe e coda corte, il garrese che formava una gobba di muscoli, le corna larghe alla base, la testa, il collo e le spalle coperti da una criniera di foltissimo pelo. Quando i bisonti hanno scelto una direzione, nulla li può ostacolare né modificare la loro marcia. Sono come un torrente di carne vivente che nessuna diga potrebbe contenere.
I viaggiatori, sparpagliati lungo i corridoi, ammiravano quel curioso spettacolo. Tuttavia, proprio colui che avrebbe dovuto essere il più preoccupato di tutti, Phileas Fogg, era rimasto al proprio posto e attendeva con calma ascetica che i bufali si decidessero a lasciar libero il passaggio. Passepartout era furente per il ritardo causato da questo ammasso di bestie. Avrebbe voluto scaricare contro di loro l'intero arsenale di revolver.

“Che razza di paese!” urlò. “Dei semplici buoi che arrestano i treni e che se ne vanno lenti come una processione, senza preoccuparsi di interrompere la circolazione! Perbacco!”

“Vorrei proprio sapere se Sir Fogg ha previsto anche questo contrattempo nel suo programma! E quel macchinista non è nemmeno capace di lanciare la sua locomotiva attraverso questa mandria!”

Il macchinista, infatti, non aveva fatto nessun tentativo per rovesciare l’ostacolo e aveva agito con prudenza. Con lo sperone della locomotiva avrebbe potuto fare un macello dei bufali più vicini; ma, anche con tutta la sua forza d’urto, la locomotiva si sarebbe fermata presto, sarebbe inevitabilmente deragliata e il treno sarebbe rimasto bloccato. La cosa migliore dunque era attendere pazientemente, per poi riguadagnare il tempo perduto accelerando la marcia del treno.

La sfilata dei bisonti durò ben tre ore e la strada tornò libera quando ormai calava la notte. Solo a quel punto attraversavano le rotaie gli ultimi capi della mandria, le cui avanguardie sparivano ormai all’orizzonte meridionale.

Erano dunque le 20 quando il treno superava i passi degli Humboldt Ranges e le 21 e 30 quando entrava nel territorio dello Utah, la regione del grande Lago Salato, il curioso paese dei Mormoni.

27 Passepartout segue, a venti miglia all'ora, un corso di storia mormone

Durante la notte tra il 5 e il 6 dicembre, il treno corse in direzione sud-est per circa cinquanta miglia; poi risalì altrettanto verso nord-est, avvicinandosi al grande Lago Salato.

Verso le 9 del mattino, Passepartout andò a prendere un po' d'aria nei corridoi. Il tempo era freddo, il cielo grigio, ma non nevicava più.

Il disco del sole, reso più ampio dalla bruma, sembrava un'enorme moneta d'oro e Passepartout si divertiva a calcolarne il valore in sterline, e fu distratto da questo utilissimo lavoro dalla comparsa di un personaggio abbastanza strano. Quell'individuo, salito sul treno alla stazione di Elko, era di corporatura robusta, molto scuro in faccia, con un paio di mustacchi neri, calze nere, cappello di seta nera, panciotto nero, pantaloni neri, cravatta immacolata, guanti di pelle di cane. Sarebbe potuto sembrare un pastore. Andava da un'estremità all'altra del treno appiccicando alla portiera di ciascun vagone, con la cera per sigilli, un foglio di carta scritto a mano. Passepartout si avvicinò e lesse su uno di quei fogli che l'onorevole William Hitch, missionario mormone, approfittando della sua presenza sul treno numero 48, dalle 11 alle 12, avrebbe tenuto nella vettura 117 una conferenza sul mormonismo a cui erano invitati tutti i gentiluomini preoccupati di istruirsi sui misteri della religione dei 'Santi degli ultimi giorni'.

"Certo che ci vado!" pensò Passepartout, che del mormonismo conosceva solo le usanze poligamiche, base della società mormone.

La notizia si diffuse rapidamente lungo il treno, che trasportava un centinaio di passeggeri. Una trentina di quelli, allettati dall'attrattiva della conferenza, alle 11 avevano occupato le panchette della vettura numero 117. Tra i primi nella fila c'era Passepartout, ma né il suo padrone né Fix avevano ritenuto di doversi disturbare.

All'ora stabilita, William Hitch si alzò in piedi e, con una voce piuttosto irritata, come se lo avessero appena contraddetto, disse: "Io vi assicuro che Joe Smyth è un martire, che suo fratello Hyram è un martire e che le persecuzioni del Governo dell'Unione contro i profeti stanno per rendere martire anche Brigham Young! Chi di voi oserebbe sostenere il contrario?"

Nessuno si azzardò a contraddire il missionario, la cui esaltazione era in contrasto con la sua espressione naturalmente calma. Ma, senza dubbio, la sua collera avava una spiegazione nel fatto che il mormonismo veniva sottoposto a una prova molto severa. In realtà, il Governo degli Stati Uniti era riuscito appena allora, e non senza fatica, a sottomettere quei fanatici indipendentisti. Si era impadronito dello Utah e l'aveva sottoposto alle leggi dell'Unione, dopo avere imprigionato Brigham Young, accusato di ribellione e poligamia. Da quel momento in avanti, i discepoli del profeta avevano raddoppiato gli sforzi e, mentre ne attendevano gli atti, resistevano a parole alle pretese del Congresso.

Dunque è facile capire che William Hitch faceva proselitismo persino sul treno. Egli si mise a raccontare, variando la narrazione con scoppi di voce e gesti violenti, la storia del mormonismo a partire dall'epoca biblica: "Come, in Israele, un profeta mormone della tribù di Giuseppe pubblicò gli annali della nuova religione e li lasciò in eredità a suo figlio Morom; come, secoli più tardi, una traduzione di quel prezioso libro, scritto in caratteri egizi, fu fatta da Joseph Smyth junior, colono nello Stato del Vermont, che si rivelò profeta mistico nel 1825; come, alla fine, un messaggero celeste gli apparve in una foresta luminosa e gli consegnò gli annali del Signore".

A quel punto, alcuni ascoltatori, poco interessati dal racconto storico del missionario, lasciarono il vagone; ma William Hitch, andando avanti, raccontò "come Smyth junior, riunendo suo padre, i suoi due fratelli e alcuni discepoli, fondò la religione dei Santi degli ultimi giorni, religione che, professata non solamente in America ma anche in Inghilterra, Scandinavia e Germania, conta tra i suoi fedeli degli artigiani e un certo numero di persone che esercitano professioni liberali; come una colonia sia stata fondata nell'Ohio; come un tempio sia stato costruito spendendo duecentomila dollari e una città sia stata edificata a Kirland; come Smyth divenne un audace banchiere e ricevette da un semplice presentatore di mummie un papiro che conteneva un racconto scritto di suo pugno da Abramo e da altri celebri egiziani".

Siccome questa narrazione si tirava un po' per le lunghe, le fila degli uditori si assottigliarono ulteriormente e il pubblico rimasto contava appena una ventina di persone. Tuttavia Hitch, senza preoccuparsi di questa diserzione, raccontò con dovizia di particolari "come fu che Joe Smyth fece bancarotta nel 1837; come fu che i suoi azionisti rovinati lo spalmarono di catrame e lo fecero rotolare sulle piume; come fu che lo si ritrovò più onorabile e più onorato che mai, alcuni anni dopo, a Independence nel Missouri, alla testa di una fiorente comunità composta da non meno di tremila discepoli, e che, allora, perseguitato dall'odio dei gentili, fu costretto a fuggire nel Far West americano".

Solo dieci ascoltatori erano ancora là e tra di loro resisteva Passepartout, che ascoltava a orecchie tese. Fu così che egli apprese "come, dopo lunghe persecuzioni, Smyth riapparve nell'Illinois e nel 1839, sulle rive del Mississippi, fondò Nauvoo-la-Belle, la cui popolazione crebbe fino a venticinquemila anime; come Smyth ne divenne il sindaco, giudice supremo e generale in capo; come, nel 1843, egli avanzò la sua candidatura alla presidenza degli Stati Uniti e come, infine, attirato in un'imboscata a Cartagine, fu gettato in prigione e assassinato da una banda di uomini mascherati".

A questo punto, Passepartout era rimasto solo nel vagone e Hitch, guardandolo in viso e affascinandolo con le sue parole, gli spiegò che, due anni dopo l'assassinio di Smyth, il suo successore, il profeta ispirato Brigham Young, abbandonando Nauvoo, era andato a stabilirsi sulle rive del Lago Salato e là, in quel meraviglioso territorio, nel mezzo di quella fertile area, sulla rotta degli emigranti che attraversavano lo Utah per andare in California, la nuova colonia, grazie ai suoi principi poligamici, aveva conosciuto un enorme sviluppo.

"Ecco" aggiunse William Hitch, "perché la gelosia del Congresso si è animata contro di noi! Ecco perché i soldati dell'Unione hanno calpestato il suolo dello Utah! Perché il nostro capo, il profeta Brigham Young, è stato incarcerato con spregio di qualsiasi forma di giustizia! Forse che noi cederemo alla forza? Mai! Cacciati dal Vermont, cacciati dall'Illinois, cacciati dall'Ohio, cacciati dal Missouri, cacciati dallo Utah, ritroveremo ancora qualche territorio indipendente dove pianteremo le nostre tende... E voi, mio fedele" aggiunse Hitch fissando sguardi intensi sul suo unico ascoltatore, "pianterete voi la vostra tenda all'ombra della nostra bandiera?"

"No" rispose coraggiosamente Passepartout, che scappò via a sua volta, abbandonando quell'energumeno a predicare nel deserto.

Durante tutta la conferenza, però, il treno aveva marciato celermente e, verso mezzogiorno e mezzo, arrivò alla punta nord-occidentale del grande Lago Salato. Da quel punto si poteva spaziare con lo sguardo su un vasto perimetro di quel mare interno, che porta anche il nome di Mar Morto e nel quale si getta un Giordano d'America.

Lago magnifico, inquadrato da belle rocce selvagge, a larghi strati, incrostate di sale bianco, meraviglioso specchio d'acqua che in altri tempi occupava un'area ben maggiore; ma, con il trascorrere del tempo, crescendo a poco a poco, le sue rive ne hanno ridotto la superficie, aumentandone però la profondità.

Il Lago Salato, lungo circa settanta miglia e largo trentacinque, si trova a tremilaottocento piedi sopra il livello del mare. Molto diversamente dal lago Asphaltite, la cui depressione è stata calcolata in milleduecento piedi sotto il livello del mare, la sua concentrazione di salsedine è notevole e le sue acque contengono in soluzione un quarto del loro peso di materia solida. Il loro peso specifico è di 1170, mentre quello dell'acqua distillata è di 1000. I pesci, dunque, non vi possono vivere. Quelli che vi vengono gettati dal Giordano, dal Weber o da altri corsi d'acqua, muoiono molto presto, anche se non è vero che le sue acque siano così dense da poter sostenere un uomo.

Intorno al lago, la campagna è ammirevolmentee coltivata, poiché i Mormoni sono esperti di lavori agricoli: ci sono ranch e corral per gli animali domestici, campi di grano, di mais, di sorgo, praterie lussureggianti e da ogni parte siepi di rosai selvatici, cespugli di acacia ed euforbia: tutto questo avrebbe segnato il panorama sei mesi più tardi, ma in quel momento il suolo era scomparso sotto una sottile coperta di neve che lo impolverava leggermente.

Alle due, i viaggiatori scesero alla stazione di Ogden. Il treno sarebbe ripartito solo alle 18 e perciò il signor Fogg, la signora Auda e i loro due compagni avevano il tempo per recarsi alla Città dei Santi grazie alla breve diramazione che partiva proprio da Ogden. Due ore sarebbero state abbastanza per visitare quella città tipicamente americana e, in quanto tale, costruita sul modello di tutte le città dell'Unione: una vasta scacchiera dalle lunghe linee fredde che provocano "la lugubre tristezza degli angoli retti", per dirla con le parole dello scrittore Victor Hugo. Il fondatore della Città dei Santi non poteva sottrarsi a quel bisogno di simmetria che contraddistingue gli Anglosassoni. In questo singolare paese, in cui gli uomini di sicuro non sono all'altezza delle istituzioni, tutto si fa 'ad angoli retti': città, case e anche le sciocchezze.

Alle 15, i viaggiatori passeggiavano nelle vie della città costruita tra la riva del Giordano e le prime ondulazioni dei monti Wahsatch. Non notarono alcuna chiesa o quasi, ma osservarono come dei monumenti la casa del profeta, la Court House e l'arsenale; poi, alcune case costruite con mattoni azzurrognoli, con verande e gallerie, attorniate da giardini e circondate da acacie, palmizi e carrubi.

La città era cintata da un muro di argilla e pietre eretto nel 1853. Sulla via principale, in cui si teneva il mercato, erano stati costruiti alcuni alberghi decorati da padiglioni e, tra questi, la Salt Lake House.

Sir Fogg e i suoi compagni ebbero l'impressione che la città non fosse densamente popolata. Le strade erano quasi deserte, tranne che nel quartiere del Tempio, dove giunsero solo dopo avere attraversato parecchie aree cintate con palizzate.

Le donne erano abbastanza numerose e la cosa era normale, se si pensa alla particolare composizione delle famiglie mormoni. Sarebbe tuttavia sbagliato pensare che i Mormoni siano tutti poligami. La scelta è libera, ma è giusto ricordare che sono soprattutto le cittadine dello Utah a desiderare di essere sposate perché, secondo la loro religione, il cielo mormone non accoglie a godere delle sue beatitudini le donne nubili. Queste povere donne non sembravano né tranquille né felici. Alcune, certamente le più ricche, indossavano una giacchetta di seta

nera aperta alla vita, sotto un mantello o uno scialle assai modesti. Le altre erano vestite solo di semplicissimo cotone.
Passepartout, che era celibe, guardava con un certo disagio tutte quelle donne mormoni incaricate di provvedere in molte la felicità di un solo uomo. Nel suo buonsenso, compiangeva soprattutto il marito. Gli sembrava terribile dover accompagnare tante donne tutte insieme attraverso le vicissitudini della vita e, nello stesso modo, portarle tutte quante fino al paradiso mormone, con la prospettiva di ritrovarle per l'eternità in compagnia del glorioso Smyth, che doveva essere il principale ornamento di quel luogo di delizie. Decisamente, non sentiva la vocazione a tutto questo e riteneva – ma, forse, in questo si sbagliavawche le cittadine di Great Lake City gli rivolgessero degli sguardi un po' inquietanti. Per fortuna, il suo soggiorno nella Città dei Santi non si doveva protrarre a lungo.
Quando mancavano pochi minuti alle 16, i viaggiatori tornarono alla stazione e presero posto nei loro vagoni. Fu sentito un colpo di fischietto ma, proprio nell'istante in cui le motrici della locomotiva, slittando sulle rotaie, cominciavano a dar movimento al treno, si udirono echeggiare delle grida: "Fermi! Fermi!"
Non si può arrestare un treno in marcia. L'uomo che lanciava quel grido era evidentemente un mormone rimasto attardato. Correva a perdifiato. Per sua fortuna, la stazione non aveva né porte né barriere. Si gettò quindi sulla banchina, saltò sulla piattaforma dell'ultima carrozza e si lasciò cadere senza fiato su un sedile di legno del vagone.
Passepartout, che aveva seguito con trepidazione le peripezie di quell'impresa, si avvicinò per scrutare il ritardatario, verso il quale la sua curiosità crebbe quando venne a sapere che era cittadino dello Utah ed era scappato a quel modo dopo una scenata in famiglia.
Quando il mormone ebbe ripreso fiato, Passepartout osò chiedergli con delicatezza quante donne avesse (e, dal modo in cui era appena fuggito precipitosamente, Passepartout supponeva ne avesse almeno una ventina).
"Una, signore!" rispose il mormone alzando le braccia al cielo. "Una... ed è abbastanza!"

28 Passepartout non riesce a far capire il linguaggio della ragione

Il treno, dopo avere lasciato il Grande Lago Salato e la stazione di Ogden, viaggiò per un'ora verso il nord, fino al fiume Weber, e aveva dunque percorso novecento miglia da quando era partito da San Francisco. Da quel punto in poi riprese la marcia verso est attraverso l'accidentato massiccio dei monti Wahsatch. Proprio in questa porzione di territorio, chiuso tra questi monti e le Montagne Rocciose vere e proprie, gli ingegneri ferroviari americani hanno dovuto affrontare le maggiori difficoltà.

In ragione delle difficoltà, su questo tratto il contributo del Governo dell'Unione è stato portato a quarantottomila dollari per miglio, mentre sul tratto pianeggiante era stato solo di sedicimila dollari; gli ingegneri, com'è già stato ricordato, d'altra parte erano stati molto rispettosi della natura, e avevano quasi giocato con essa, aggirando le difficoltà; e, per raggiungere il grande bacino, sull'intero percorso della ferrovia è stato creato un solo tunnel, lungo millequattrocento piedi. Proprio intorno al Lago Salato il tracciato raggiungeva la sua massima altitudine. A partire da lì, il suo profilo descriveva una morbida curva che scendeva verso la vallata del torrente Bitter per risalire poi al punto spartiacque tra Atlantico e Pacifico. I ruscelli erano numerosi in questa regione di montagna. Fu necessario superare con dei ponticelli il Muddy, il Green e altri ruscelli ancora. Passepartout diventava più impaziente man mano che si avvicinava la conclusione del percorso. Quanto a Fix, avrebbe voluto già essere uscito da questa accidentata landa. Temeva i ritardi, aveva paura degli incidenti ed era più ansioso dello stesso Phileas Fogg di rimetter piede sul territorio inglese!

Alle 22, il treno si fermò nella stazione di Fort Bridger, che lasciò quasi subito per entrare, una ventina di miglia più avanti, nello stato del Wyoming, l'antico Dakota, percorrendo tutta la vallata del torrente Bitter, da cui deriva una parte dell'acqua che alimenta il sistema idrografico del Colorado.

Il giorno successivo, 7 dicembre, ci fu una fermata di un quarto d'ora alla stazione di Green River. Durante la notte era nevicato abbondantemente, ma poiché la neve era mista a pioggia, si era in buona parte sciolta e non ostacolava la marcia del treno. Tuttavia, il brutto tempo inquietò Passepartout, perché l'accumularsi della neve impantanava le ruote dei vagoni e sicuramente avrebbe finito per compromettere il viaggio.

"Che idea stravagante ha avuto il mio padrone» diceva tra sé, "di mettersi in viaggio durante l'inverno! Non poteva aspettare la bella stagione per avere dalla sua più possibilità?"

Mentre il bravo giovanotto si preoccupava dello stato del cielo e dell'abbassamento della temperatura, la signora Auda nutriva timori ben più gravi, che nascevano da tutt'altra causa. Infatti, alcuni viaggiatori erano scesi dal convoglio e passeggiavano sul marciapiede della stazione di Green River aspettando che il treno ripartisse. Attraverso i vetri, la giovane aveva riconosciuto tra questi viaggiatori il colonnello Stamp W. Proctor, l'americano che era stato tanto aggressivo con Phileas Fogg durante il meeting di San Francisco. La signora Auda, non volendosi farsi riconoscere, si era immediatamente tirata indietro.

Quel fatto, però, l'aveva profondamente impressionata. Si era affezionata a quell'uomo che, sebbene con tanta freddezza, ogni giorno le dimostrava la più assoluta dedizione. Auda non era consapevole, senza dubbio, di tutta la profondità del sentimento che le ispirava il suo salvatore, e lo chiamava ancora riconoscenza, anche se, a sua insaputa, era già molto più di questo.

Dunque il suo cuore si strinse quando riconobbe quell'individuo arrogante al quale Sir Fogg avrebbe voluto presto o tardi chiedere conto del suo comportamento. Evidentemente, era stato solo il caso a mettere su quello stesso treno il colonnello Proctor, ma ora che era lì bisognava impedire a qualsiasi costo che Phileas Fogg s'imbattesse nel suo nemico. Appena il treno si fu rimesso in moto, la signora Auda approfittò di un momento in cui Sir Fogg era assopito per aggiornare Fix e Passepartout.

"Quel Proctor è sul nostro treno?" esclamò Fix. "State tranquilla, signora; quell'individuo prima di avere a che fare con... con Sir Fogg, dovrà vedersela con me! Del resto, in quel tafferuglio son stato pur sempre io ad avere subito gli insulti più gravi!"

"E inoltre" aggiunse Passepartout, "mi occupo volentieri io di lui, per colonnello che sia!"

"Ma signor Fix" fece notare la signora Auda, "Sir Phileas Fogg non lascerà a nessuno l'incarico di vendicarlo, vi pare? È un gentiluomo, come ha detto, tale da ritornare apposta in America per rintracciare quel villano. Se vede il colonnello qui sul treno, nessuno potrà impedire un duello. Ciò che a ogni costo dobbiamo fare è impedire che i due s'incontrino."

"Avete ragione, signora Auda. Un duello, ora, rovinerebbe tutto. Vincitore o vinto, il signor Fogg sarebbe in ritardo, e..."

"E quei suoi cari colleghi del Club l'avrebbero vinta!" concluse Passepartout. "Ah no, signori miei! Io dico che tra quattro giorni dobbiamo essere a New York, e ci saremo. Basta che nel frattempo Sir Fogg non lasci il suo vagone e sperare che il caso non lo metta faccia a faccia con quello sciagurato Proctor, che il cielo lo maledica! Ora, per impedire che ciò accada, faremo tutto il possibile."

La conversazione fu interrotta perché Sir Fogg si era risvegliato.

Ma, più tardi, Passepartout si fece seguire da Fix in corridoio, dove nessuno poteva udirli, e gli disse a bruciapelo: "Vi battereste davvero per lui?"

"Farei di tutto pur di ricondurlo vivo in Inghilterra!" rispose il detective, con il tono fermo che rivelava una volontà implacabile.

Passepartout sentì un brivido corrergli per le vene e fu sul punto di scagliarsi contro Fix. Ma riuscì a trattenersi.

"In questo momento" disse calmo, "è necessario bloccare Sir Fogg nello scompartimento per impedire ogni possibile incontro fra il colonnello e lui. Aiutatemi anche voi a trovare un espediente."

"Non sarà un'impresa difficile!" disse Fix. "Il vostro padrone è di indole quieta e poco curiosa. Anzi, credo di avere un mezzo infallibile per trattenerlo."

"E quale sarebbe?"

"Ora vedrete."
Dopo poco, rientrato nello scompartimento e sedutosi di fronte al gentleman, Fix cominciò a dire: "Sono lente, vero, signor Fogg, le ore che si trascorrono in treno?"
"Infatti" rispose asciutto Fogg. "Ma anche queste passano."
"Se non sbaglio" riprese Fix, "a bordo dei piroscafi voi avevate l'abitudine di fare la vostra partita a whist."
"Sì. Ma qui è impossibile: non ci sono né carte né compagni."
"Oh, se è solo per questo, le carte troveremo il modo di comprarle: si vende di tutto sui treni americani. Quanto ai compagni, se la signora Auda sapesse..."
"Certamente, signore!" rispose con vivacità la giovane. "Io conosco il whist: giocarlo fa parte dell'educazione inglese."
"Benone, allora!" si entusiasmò Fix. "Anch'io me la cavo abbastanza bene con questo gioco. Perciò, si potrebbe giocare in tre col 'morto'."
"Come preferite» accondiscese Phileas Fogg, felicissimo di tornare anche in treno al suo passatempo preferito.
Passepartout si precipitò a cercare lo steward per comperare tutto l'occorrente e tornò dopo poco con due mazzi di carte, gettoni e una tavoletta coperta di panno. Non mancava niente.
Il gioco cominciò mentre il treno, nella chiara luce del mattino, superava il nevoso Passo Bridger, uno dei punti più alti in cui la ferrovia attraversa le Montagne Rocciose.
Dopo avere percorso circa duecento miglia, i viaggiatori si trovavano finalmente su quelle vaste pianure che si estendono fino all'Atlantico e dove la natura aveva facilitato l'installazione della ferrovia. Sul versante del bacino atlantico nascono già i primi ruscelli, affluenti o subaffluenti del fiume North Platter. Tutto l'orizzonte, a nord e a est, era coperto da quell'immensa barriera semicircolare che costituisce la porzione settentrionale delle Montagne Rocciose, dominata dal picco di Laramie. Tra questo bacino e la ferrovia si stendevano le vaste pianure generosamente irrigate. Sulla destra della strada ferrata si stagliavano le prime rampe del massiccio montagnoso che a sud si arrotondava fino alle sorgenti del fiume Arkansas, uno dei grandi tributari del Missouri.

A mezzogiorno e mezzo, i viaggiatori intravidero per un istante il Forte Halleck, che vigila su quella regione. Ancora poche ore e il passaggio del treno attraverso questa accidentata regione si sarebbe concluso. La neve non cadeva più. Il tempo si era fatto freddo e asciutto. Alcuni grossi uccelli, spaventati dalla locomotiva, fuggivano precipitosi. Sulla piana non si vedeva alcuna bestia selvatica, orso o lupo che fosse. Era il deserto nella sua immensa nudità.

Dopo un pasto ristoratore, servito nel vagone stesso, Sir Fogg e i suoi compagni avevano appena ripreso il loro interminabile whist quando risuonarono dei violenti colpi di fischietto. Il treno s'arrestò.

Passepartout mise subito la testa fuori dello sportello e non vide nulla che provocasse quella fermata inattesa.

Non c'era in vista nessuna stazione. La signora Auda e Fix credettero per un istante che Sir Fogg intendesse scendere sulla strada. Ma il gentleman si accontentò di dire al domestico: "Scendete a vedere."

Passepartout uscì rapido dal vagone. Molti viaggiatori erano scesi prima di lui e, fra questi, il colonnello Stamp W. Proctor.

Il treno era arrivato a un disco color rosso: un segnale di via chiusa. Conducente e fuochista stavano discutendo con un cantoniere che dalla vicina stazione di Medicine Bow era stato spedito incontro al convoglio. Raccolti intorno a quel gruppetto, i viaggiatori intervenivano con vivacità. Uno dei più animosi, con il suo sonoro timbro di voce e con i suoi gesti scomposti, era proprio il colonnello Proctor.

Anche Passepartout s'avvicinò e sentì il conducente che spiegava: "Non c'è modo di passare. Il ponte di Medicine Bow è in pessime condizioni e non sopporterebbe il peso del treno".

Il ponte di cui si parlava era un ponte sospeso, gettato sopra le rapide del fiume Medicine, a un miglio dal punto in cui il convoglio si era fermato. A quanto diceva il cantoniere, quel ponte minacciava di crollare: parecchi cavi si erano spezzati. Impensabile rischiare di passare. Il cantoniere, dunque, non esagerava affatto volendo arrestare la corsa del treno. E, d'altra parte, se si tiene conto dell'audacia degli americani, si può dire che quando decidono di essere prudenti sarebbe davvero una pazzia non dar loro retta.

Passepartout, che non osava portare una simile notizia al padrone, ascoltava a denti stretti, immobile come una statua.
Il colonnello Proctor, a un tratto, urlò: "Oh, voglio pensare che non staremo qui a piantar radici nella neve!"
"Si calmi, colonnello" rispose il povero conducente. "Abbiamo telegrafato alla stazione di Omaha per chiedere un treno. Ma non è possibile che giunga a Medicine Bow prima di sei ore."
"Sei ore!" gridò Passepartout.
"Sicuro, giovanotto. Del resto, questo tempo ci servirà per arrivare a piedi a quella stazione."
"A piedi!" esclamarono increduli i viaggiatori.
"Ma quanto distante è questa stazione?" domandò uno di loro al conducente.
"A dodici miglia, dall'altra parte del fiume."
"Dodici miglia nella neve!" si lamentò Stamp W. Proctor.
Il colonnello lanciò una sfilza d'imprecazioni, prendendosela con la Compagnia, con il conducente, con il fuochista e con la Sovrintendenza dell'Unione al funzionamento delle linee ferroviarie.
Passepartout stava per fare altrettanto.
"Ecco questa volta davanti a noi un ostacolo naturale contro cui le banconote del mio padrone valgono come carta straccia» rifletteva amaramente in cuor suo.
Il disappunto, del resto, era comune a tutti i passeggeri che, a prescindere dal ritardo, si trovavano costretti a compiere a piedi una marcia di quasi quindici miglia attraverso la pianura innevata. Una bolgia di lamentele e proteste si alzava fino al cielo: uno schiamazzo assordante che avrebbe attirato l'attenzione di Phileas Fogg, se non fosse stato tanto assorbito nel suo whist. Passepartout ormai era obbligato ad aggiornare il padrone. E, a testa bassa, stava andando a compiere il proprio dovere, quando il fuochista, un vero yankee di nome Forster, dal massiccio corpo di atleta, disse con una voce che dominò il clamore generale: "Signori, ci potrebbe essere un modo per passare".
"Sul ponte?!" chiese una voce.
"Sul ponte."

“Con il nostro treno?” domandò il colonnello.
“Con il nostro treno.”
Passepartout si era fermato e divorava con gli occhi il fuochista, letteralmente pendendo dalle sue labbra.
“Ma il ponte minaccia di crollare!» ricordò il conducente.
“Non importa” replicò Forster. “Io dico che, lanciando il treno a tutta velocità, ci sarebbero delle probabilità di passare.”
“Accidenti!” proruppe Passepartout.
Un buon numero di viaggiatori era rimasto immediatamente affascinato dall’idea, che piaceva particolarmente al colonnello Proctor. Quella testa facilmente eccitabile trovava il piano perfettamente realizzabile. Ricordò persino che gli ingegneri avevano prospettato l’idea di fare valicare dei fiumi ‘senza ponte’ lanciando treni rigidi a tutta velocità e via discorrendo. E così, tutto sommato, tutti coloro che si erano interessati alla questione accolsero favorevolmente il parere del fuochista.
“Abbiamo cinquanta probabilità su cento di passare!” diceva.
“Sessanta!” affermava un altro. “Ottanta!... Anche novanta su cento!»
Passepartout era sbalordito. Sebbene si sentisse pronto a tentare il tutto per tutto pur di passare il Medicine, quel sistema gli sembrava un po’ troppo... americano.”
“Sì” pensava. “Ma ci sarebbe un’altra cosa molto più semplice da fare. E questa gente non se la sogna neppure.”
“Signore” disse a uno dei viaggiatori, “il sistema proposto dal fuochista mi sembra un po’ troppo azzardato. Si potrebbe invece...”
“Ottanta probabilità!” ribadì il viaggiatore, voltandogli le spalle.
“So bene, ma...” osò ancora Passepartout, e si rivolse a un altro gentleman. “Non le pare che una semplice riflessione...”
“Non venga a parlarmi di riflessioni, che è inutile! Dal momento che il fuochista ha detto che si passerà, si passerà.”
“Non ne dubito. Si passerà, ma forse sarebbe più prudente...”
“Che prudente e prudente!” scattò Proctor, che per caso aveva sentito le parole del francese. “A grande velocità, si dice: lo capite?! A grande velocità!”
“So, lo capisco...” fece ancora Passepartout, a cui nessuno lasciava

finire la frase. «Però sarebbe, non dico più prudente, se il termine non vi piace, ma più naturale...”
“Vada a raccontarlo a qualcun altro, il suo naturale!” gli venne gridato da più parti.
Il poverino non sapeva come fare per ottenere ascolto.
“Forse avete paura?” gli chiese il colonnello Proctor.
Passepartout ritrovò tutto il suo spirito.
“Io, paura?! Ebbene: farò vedere a questi signori se un francese non sa essere tanto americano quanto loro!”
“In vettura! In vettura!!” gridava intanto il conducente.
“Sì, in vettura!” gli fece eco Passepartout. “E subito! Ma crederò sempre che sarebbe stato assai meglio far prima passare noi viaggiatori a piedi sul ponte, e il treno dopo.”
Ma nessuno ascoltò la saggia riflessione: e nessuno, del resto, sarebbe stato disposto a riconoscerne la logicità.
I viaggiatori erano tutti ai propri posti. Passepartout, senza riferire nulla di quanto era accaduto, sedeva accanto a Fix nel vagone, dove la silenziosa partita di whist proseguiva.
La locomotiva fischiò. Il conducente fece fare macchina indietro e per circa un miglio il convoglio arretrò, come un saltatore che si prepara a prendere la rincorsa.
Poi, a un secondo fischio, il treno ricominciò ad avanzare, accelerando sempre più. In breve, la velocità diventò spaventosa. Non si sentiva più niente se non il potente sibilo del vapore. Gli stantuffi battevano venti colpi al secondo; gli assi delle ruote fumavano nelle scatole del grasso. Sembrava che il treno intero, correndo a cento miglia all'ora, non pesasse più sulle rotaie: la velocità annullava la gravità.
E passò! Fu come un lampo. Non si vide nulla del ponte.
Il convoglio saltò, quasi letteralmente, da una sponda all'altra, e il conducente non riuscì a fermare la sua macchina furibonda che cinque miglia oltre la stazione. Ma, appena il treno ebbe varcato il baratro, il ponte, definitivamente rovinato, crollò nelle rapide del Medicine.

29 Vengono raccontati gli incidenti che possono capitare sulle ferrovie dell'Unione

Quella sera stessa, il treno continuò la sua corsa senza ostacoli: superò il Forte Sauders, valicò il Passo di Cheyenne e arrivò al Passo di Evans. A quel punto, la ferrovia raggiungeva il punto più alto del percorso, ossia ottomilanovantuno piedi sopra l'Oceano.

I viaggiatori, ormai, dovevano solo scendere fino all'Atlantico su quelle pianure sconfinate, livellate dalla natura. Là si trovava, sul troncone principale, la deviazione di Denver City, la principale città del Colorado. Questo territorio è ricco di miniere d'oro e d'argento e sono più di cinquantamila gli abitanti che vi risiedono stabilmente.

A quel punto, in tre giorni e tre notti dalla partenza da San Francisco, erano state percorse milletrecentottantadue miglia. Secondo ogni previsione, quattro giorni e quattro notti sarebbero dovuti bastare per raggiungere New York. Phileas Fogg si manteneva perciò nei limiti della puntualità.

Nel corso della notte si lasciò a sinistra il campo Walbah.

Il Lodge Pole Creek correva parallelamente alla ferrovia, seguendo la frontiera rettilinea comune agli stati del Wyoming e del Colorado.

Alle 11, si fece ingresso nel Nebraska, si passò presso Sedwick e si giunse a Julesburgh, sul ramo meridionale del Platte River.

Fu in questa località che si svolse, il 23 ottobre 1867, l'inaugurazione della Union Pacific Road, il cui ingegnere in capo era stato il generale J.M. Dodge. Là si erano arrestate le due potenti locomotive che rimorchiavano i nove vagoni di invitati, tra i quali figurava il vicepresidente Thomas C. Durant; là echeggiarono le acclamazioni; là i Sioux e i Pawnies avevano dato lo spettacolo di una battaglia indiana; là erano stati esplosi i fuochi d'artificio, là, infine, era stato pubblicato, grazie all'opera di una stamperia portatile, il primo numero del giornale *Railway Pioneer*. Fu celebrata così l'inaugurazione di quella grande ferrovia, strumento di progresso e di civilizzazione, lanciata attraverso il deserto e destinata a collegare tra loro città e cittadine che ancora non esistevano. Il fischio della locomotiva, più potente della lira del mitico re di Tebe Anfione, le avrebbe ben presto fatte nascere dal suolo americano.

Alle 8 fu oltrepassato il Forte MacPherson. Trecentocinquantasette miglia separano questo punto da Omaha. La ferrovia seguiva, seguendone la riva sinistra, le capricciose sinuosità del ramo meridionale del Platte River. Alle 9 si giunse alla città di North Platte, costruita tra questi due grandi corsi d'acqua, che si ricongiungono nelle sue vicinanze per formare una sola arteria, affluente notevole del Missouri, con le cui acque si fonde un po' al di sopra di Omaha. Venne così superato il centounesimo meridiano.

Il signor Fogg e i suoi compagni di viaggio avevano ripreso il gioco. Nessuno di loro si lagnava della lunghezza del viaggio, neppure il 'morto'. Fix aveva cominciato a guadagnare qualche ghinea che stava per perdere di nuovo, ma non per questo si mostrava meno appassionato di Sir Fogg. Nel corso della mattinata, la fortuna arrideva in maniera speciale al gentleman. Atouts e 'onori' piovevano generosamente nelle sue mani.

A un certo punto, dopo avere messo a segno un colpo audace, si preparava a giocare picche, quando, dietro la poltroncina, risuonò una voce che diceva: "Io giocherei piuttosto quadri..."

Phileas Fogg, la signora Auda e Fix alzarono tutti insieme la testa.

Il colonnello Proctor era vicino a loro.

Stamp W. Proctor e Phileas Fogg si riconobbero alla prima occhiata. Fogg, che era stato interrotto mentre si preparava a giocare picche, sospese un attimo la mossa per fissare negli occhi il suo avversario.

"Ah, ah!" proseguì Proctor, canzonandolo. «Siete voi, signor 'inglese', che volete giocare picche."

"E che lo gioco" rispose freddamente Phileas Fogg, gettando un dieci di quel segno.

Proctor fece il gesto di afferrare la carta.

"A me piace invece che giochiate quadri!" replicò con insolenza crescente. "Voi non capite niente di questo gioco."

"Forse sono più abile di qualcun altro."

Phileas Fogg si era alzato e continuava a fissare il colonnello. Assumendo un atteggiamento di sfida, quel rozzo individuo ribatté: «Sta soltanto a voi provarci, figlio di John Bull!"

La signora Auda era impallidita. Afferrò il braccio di Phileas Fogg, che la respinse delicatamente. Scattando nello stesso istante, Fix e Passepartout si erano messi fra il gentleman e l'americano. Il colonnello si trovò faccia a faccia con il detective.

"Voi, signore, dimenticate che i conti li dovete regolare con me!" proferì Fix, energico. "Sono io quegli che avete non solo insultato ma pure percosso!"

"Signor Fix" disse Phileas Fogg, "scusate, ma la faccenda riguarda solo me. Pretendendo che io dovessi giocare quadri, il colonnello mi ha nuovamente offeso. E me ne darà soddisfazione."

"Quando vorrete e dove vorrete" rispose Stamp W. Proctor con fermezza. "Vi lascio il vantaggio di scegliere l'arma con cui preferite battervi."

La signora Auda fece ogni sforzo per trattenere Sir Fogg, mentre Fix tentava di tornare a mettersi fra il gentleman e l'americano.

Più impetuoso di tutti, Passepartout si scagliò sul provocatore, lo ghermì alla vita e averebbe voluto gettarlo dallo sportello. Phileas Fogg lo fermò con un gesto e uno sguardo imperiosi. Poi, seguito da Proctor, uscì nel corridoio.

"Signore" disse il gentleman al suo avversario appena furono soli, "ho molta fretta di arrivare in Europa. Un ritardo qualunque comprometterebbe i miei interessi."

"E che me ne importa?" lo provocò il colonnello.

Phileas Fogg non perse la calma.

"Signore" riprese, «dopo il nostro incontro a San Francisco, avevo deciso di venire a ritrovarvi in America appena avessi sbrigato gli affari per cui devo tornare nel vecchio continente."

"Davvero?!"

"Volete quindi darmi appuntamento fra sei mesi?"

"E perché non fra sei anni?"

"Io dico fra sei mesi" sottolineò con calma Sir Fogg. "E sarò puntuale, ve lo assicuro."

Proctor rise in modo sguaiato.
"Diversivi, signore mio! Ci battiamo ora o mai più."
"E vada per adesso" rispose il gentleman. "Andate a New York?"
"No."
"A Chicago?"
"No."
"A Omaha?"
"Non vi deve interessare dove vado. Conoscete la città di Plum Creek?"
"Non la conosco."
"È la prossima stazione. Il treno vi arriverà tra un'ora e vi resterà per circa dieci minuti. In dieci minuti si può scambiare qualche colpo di pistola."
"E sia" concluse Phileas Fogg. "Mi fermerò a Plum Creek."
"Io credo che ci rimarrete" lo rimbeccò, insolente, l'americano.
"Chi lo sa, signore!"
Phileas Fogg, senza scomporsi, dopo questa risposta lasciò Proctor e tornò nel suo vagone, altero come al solito.
Il gentleman incominciò rassicurando la signora Auda.
"Non bisogna temere gli sbruffoni" disse. "State tranquilla, signora."
Pregò poi Fix di fargli da padrino nel duello che stava per aver luogo. Fix non poté rifiutare. Infine, Phileas Fogg riprese la partita interrotta, giocando picche con perfetta calma.
Alle 11 il fischio della locomotiva annunciò l'approssimarsi della piccola stazione di Plum Creek. Sir Fogg si alzò e seguito da Fix si incamminò lungo il corridoio. Passepartout li seguiva portando due grosse pistole. Pallida come un cadavere, la signora Auda rimase al proprio posto nella carrozza. La porta dell'altro vagone si spalancò nel momento in cui Phileas Fogg mise piede sul passatoio. Proctor comparve seguito dal suo testimone, uno yankee che sembrava fatto della sua stessa pasta. Gli avversari, senza incrociare nemmeno uno sguardo, si avvicinarono allo sportello in tempo per scendere dal convoglio che stava fermandosi, entrando in stazione.
Un ferroviere dal berretto gallonato sopraggiunse alle loro spalle in quell'istante e gridò: "Non si scende, signori!"

"E perché?" chiese stizzito il colonnello Proctor.
"Abbiamo venti minuti di ritardo e il treno si ferma a Plum Creek solo qualche secondo."
"Ma io devo battermi con questo signore!"
"Mi dispiace moltissimo per voi" rispose il capotreno. "Si riparte immediatamente. Sentite il segnale?"
La campana della stazione, infatti, suonava e il convoglio si mise subito in marcia. Phileas Fogg e Proctor si fissavano in faccia senza muoversi. Il capotreno li guardava.
"Sono veramente desolato, signori!" disse alla fine il ferroviere. "In qualunque altra circostanza vi avrei aiutato volentieri; ma questa volta è proprio impossibile. Del resto, visto che non vi siete potuti battere a Plum Creek, che cosa vi impedisce di battervi lungo il percorso?"
"Ciò forse non piacerà al signore!" disse beffardo il colonnello.
"Mi piace moltissimo, invece" rispose Phileas Fogg compostissimo.
Passepartout esterrefatto pensava in cuor suo: "Caspita! Cose simili si vedono solo in America! Questo capotreno dev'essere un fior fiore di gentiluomo".
I due avversari e i loro padrini avevano seguito il ferroviere dal berretto gallonato. Anche Passepartout, senza fiatare, li seguì.
Passando da un vagone all'altro arrivarono alla carrozza in coda al convoglio, occupata da una diecina di persone. Il capotreno chiese a quei passeggeri se fossero tanto gentili da lasciare libero il campo a due gentlemen che avevano una questione d'onore da sbrigare.
"Figurarsi! Molto volentieri!" risposero tutti all'unanimità.
Avevano capito al volo la faccenda vedendo i due pistoloni portati da Passepartout e si ritirarono in fretta nei corridoi, più lontano che poterono. Il vagone, lungo una decina di metri, sembrava costruito apposta per quell'uso. I duellanti avevano agio di avanzare uno contro l'altro tra le due file dei sedili e spararsi a volontà. Non vi fu mai duello più facile da regolare. Sir Fogg e il colonnello Proctor, ciascuno con due pistole a sei colpi, entrarono nel vagone. I testimoni, rimasti fuori, li chiusero dentro. Al primo fischio della locomotiva i duellanti dovevano fare fuoco. E, dopo un intervallo di due minuti, i padrini

sarebbero entrati a ritirare... quel che fosse rimasto dei due avversari. Nulla di più semplice, quindi. Anzi, era talmente semplice che Fix e Passepartout sentivano il cuore battere come un tamburo nel petto. Immobili, impietriti, trattenendo il respiro, aspettavano il fischio allorché udirono urla selvagge e un crepitare di spari che le sottolineavano. Ma non venivano dal vagone dei duellanti. Le detonazioni e le urla echeggiavano lungo il treno e dal convoglio rispondevano grida di spavento.

Il colonnello Proctor e Sir Fogg, con le pistole in pugno, uscirono a precipizio dal vagone, dopo averne forzata la porta, e si lanciarono alla testa del convoglio, da dove il fracasso arrivava più forte. Avevano intuito subito la verità: il convoglio era stato assalito dai Sioux!

Era, infatti, proprio quello che stava accadendo. Nel mezzo della prateria, una banda di alcune centinaia di indiani razziatori, con la consuetudine di bloccare e saccheggiare treni, avevano dato la scalata ai vagoni come un acrobata sulla groppa di un cavallo al galoppo.

I Sioux, armati di fucili, urlavano e si erano precipitati innanzitutto sulla locomotiva. Il macchinista e il fuochista erano stati quasi uccisi a colpi di mazza. Un indiano, per bloccare il convoglio, aveva afferrato le leve del comando. Ma non conoscendo le manovre per farlo, invece d'abbassare il manubrio del regolatore aveva aperto le valvole e il treno si era messo a correre a una velocità spaventosa.

Intanto, l'orda dei Sioux si era riversata sulle carrozze gremite di passeggeri. Agili come scimmie, gli indiani correvano carponi sulle predelline e sulle tettoie, scardinavano gli sportelli, lottavano corpo a corpo con i viaggiatori. Molti di questi erano armati e rispondevano con colpi di pistola alla fucileria degli assalitori.

Una diecina di Sioux, come diavoli scatenati, forzarono il bagagliaio, lo invasero e lo saccheggiarono gettando tutti i bagagli sulla scarpata.

Grida e spari incalzavano senza tregua. I passeggeri, e con loro il capotreno, si erano raccolti in alcuni vagoni che difendevano volenterosamente dallo spaventoso assedio, come fossero dentro fortini che la fuga del treno trascinava all'impressionante velocità di più di cento miglia all'ora.

Fin dall'inizio dell'attacco, la signora Auda si era comportata con coraggio. Con la pistola in pugno, la giovane si era difesa sparando attraverso i finestrini rotti, e aveva combattuto con gli indiani attraverso quella breccia. Una ventina di Sioux, colpiti a morte dagli assediati, erano caduti all'interno; molti, scivolando feriti dall'alto dei passaggi tra i vagoni, erano precipitati sui binari ed erano stati travolti dalle ruote del convoglio.

All'interno del treno la scena non era meno tragica. Molti viaggiatori erano riversi sui sedili, feriti dalle pallottole o dalle mazze dei Sioux. Si vedevano visi impalliditi che grondavano sangue.

La lotta era in corso da un quarto d'ora e, da una parte l'accanimento degli indiani, dall'altra la stanchezza che cominciava a farsi sentire tra gli assediati, lasciavano pensare che la cosa si metteva male per i passeggeri.

Il capotreno, che, a fianco di Sir Fogg, si batteva accanitamente, teneva d'occhio anche il paese che stavano furibondamente attraversando.

"La stazione di Forte Kearney dovrebbe essere a due miglia da qui" disse a un tratto, rivolgendosi a mezza voce al gentleman. "Al Forte c'è una guarnigione americana. Se il treno si ferma in quei paraggi, siamo salvi. Ma se lo oltrepassa, i Sioux resteranno padroni del convoglio."

Phileas Fogg aveva ascoltato senza scomporsi. Un lampo gli brillò nello sguardo. E il gentleman stava per rispondere quando il capotreno, sbiancando, si accasciò colpito dalla fucilata di un indiano.

"Siamo persi... se il treno non si ferma... entro cinque minuti!" balbettò il ferito a Phileas Fogg, che si era curvato a soccorrerlo con l'aiuto di Passepartout.

"Si fermerà!" disse con decisione il gentleman, stringendo la mano del coraggioso compagno di lotta.

Si alzò di scatto e fece per buttarsi fuori del treno. Ma un braccio vigoroso lo trattenne.

"Rimanete, Sir Fogg. È compito mio!"

Passepartout, senza dare tempo al suo padrone di fermarlo, aveva spalancato lo sportello e si era cacciato sotto il vagone. Nessuno degli Indiani lo aveva visto. Intorno le fucilate rimbombavano.

Passepartout dovette sfoggiare tutta la sua agilità e la sua flessibilità di ginnasta. Avanzò sotto i vagoni, aggrappandosi alle traverse, aiutandosi con le leve dei freni e con le stanghe delle impannate, inerpicandosi da una carrozza all'altra con un'incredibile destrezza. Arrivò così in testa al treno. Giunto là, sostenendosi con una mano tra il bagagliaio e il tender, con l'altra staccò le catene di sicurezza. Ma, finché era in azione la forza di traino, la barra che congiungeva la locomotiva al resto del convoglio non si sarebbe sganciata.

Una scossa improvvisa che il treno subì in quella pazzesca corsa fuori controllo avvicinò il tender al bagagliaio e la connessura della barra, già forzata, si spezzò. La locomotiva proseguì da sola la sua fuga forsennata. Trascinato dallo slancio, il resto del convoglio avanzò ancora per alcuni minuti. Dentro i vagoni, intanto, c'era chi provvedeva a manovrare immediatamente i freni.

Il treno andò a poco a poco fermandosi a qualche centinaio di metri dalla stazione di Kearney. La guarnigione del Forte, attratta dagli spari, accorse. E, arrivando inattesa, cambiò la situazione.

Prima che il treno fosse completamente fermo sui binari, la banda degli indiani aveva già preso il largo. In gruppi silenziosi, trasportando pietosamente i feriti, i viaggiatori scesero dai vagoni e a piedi raggiunsero la stazioncina.

Là, sul piazzale, si contarono. Alcuni uomini mancavano all'appello: fra quelli il coraggioso francese al cui eroismo tutta quella gente doveva la propria salvezza.

30 Phileas Fogg, molto semplicemente, fa il suo dovere

Compreso Passepartout, erano scomparsi in tutto tre viaggiatori, di cui non si sapeva se fossero stati uccisi nello scontro o fatti prigionieri dai Sioux.
I feriti erano un numero considerevole, ma nessuno era grave. Tra quelli che versavano in condizioni più gravi c'era il colonnello Proctor che, dopo avere combattuto a lungo e valorosamente, aveva ricevuto una palla nell'addome. Fu trasportato nella sala d'aspetto della stazioncina, insieme con altri le cui condizioni richiedevano un immediato intervento medico.
Sir Fogg stava a braccia conserte in un angolo della sala, tra la signora Auda e Fix che, come lui, avevano avuto la fortuna di essere quasi incolumi. Calde lacrime scendevano dagli occhi della bella signora: Passepartout non si trovava.
Si vedeva, poco lontano, il convoglio vuoto abbandonato sui binari, che portava le tracce evidenti della lotta. Tutt'intorno, sulla distesa della campagna innevata e fin dove l'occhio poteva giungere, si distinguevano lunghe strisce rossastre. Gli ultimi indiani in fuga stavano scomparendo verso sud, dalle parti del fiume Republican.
A un tratto la signora Auda alzò lo sguardo sul volto di Phileas Fogg, che continuava a tacere, immobile e pensieroso come chi deve prendere una grave decisione. Il gentleman comprese quello sguardo. Se il suo servo era prigioniero, non doveva rischiare il tutto per tutto per cercare di strapparlo agli indiani?
"Io lo ritroverò, vivo o morto!" assicurò Phileas Fogg, fissando la giovane. Ella gli afferrò le mani. "Ah, signore!" sussurrò.
E non riuscì a dire altro. I suoi begli occhi inumiditi di lacrime esprimevano tutta la commozione e l'ammirazione che provava.
"Se non perderemo nemmeno un istante" proseguì il gentleman, "forse lo salveremo."
Con questa decisione era probabile che stesse decidendo la propria

rovina. Un solo giorno di ritardo gli avrebbe fatto perdere la partenza del piroscafo da New York e non sarebbe più stato possibile vincere la scommessa. Ma che importava? Una voce parlava nitida nella coscienza di Phileas Fogg: "È il tuo dovere!"

Il capitano in comando alla guarnigione di Kearney era in sede. I suoi soldati – circa un centinaio – si erano disposti di guardia alla stazione nel caso che i Sioux avessero solo simulato la fuga e potessero ritentare l'attacco.

Phileas Fogg si presentò all'ufficiale.

"Capitano" disse, "tre viaggiatori sono scomparsi."

"Morti?"

"Morti o prigionieri: e sarebbe bene uscire da quest'incertezza. Intendete inseguire i Sioux?"

"Questa è una questione seria, signore!" rispose il capitano, molto perplesso. "Gli indiani possono scappare anche fino al di là dell'Arkansas! Io non posso abbandonare il posto che mi è affidato."

"Ma si tratta della vita di tre uomini!"

"Capisco. Del resto, è giusto rischiare la vita di cinquanta per salvarne tre?"

"Non so se potete, capitano, so che dovete."

L'ufficiale, come se lo avessero colpito in volto, scattò: "Signore, nessuno può insegnarmi qual è il mio dovere!"

"Va bene» replicò calmo Phileas Fogg. "Andrò solo."

Fix, che non aveva perso una sola parola del dialogo, non poté fare a meno di avvicinarsi, emozionatissimo, a Sir Fogg.

"Voi, signore?!" esclamò. "Mettervi da solo a inseguire degli indiani? Ma è un'idea temeraria, insensata, pazzesca!"

"Vorreste che lasciassi morire quel giovane al quale tutti noi dobbiamo la vita? Certo che andrò."

"Ebbene, non andrete solo!"

Phileas Fogg si voltò sorpreso a osservare il capitano, che aveva detto quelle parole, e commosso suo malgrado, proseguì: "Siete un audace e un generoso. Scusatemi per il rifiuto di poco fa. Metto a vostra disposizione trenta uomini".

E subito, rivolgendosi ai soldati, l'ufficiale ordinò: "Trenta uomini si facciano avanti!"
Tutta la compagnia si offrì in massa. Non restò che l'imbarazzo della scelta. La piccola pattuglia fu subito composta e a comandarla fu messo un vecchio sergente.
"Grazie, capitano!" disse Sir Fogg.
Fix tornò a farsi avanti.
"Mi consentite di accompagnarvi?" domandò al gentleman.
"Siete libero di fare come credete, signore. Tuttavia, se volete rendermi un servizio, vi chiederei di rimanere con la signora Auda. Nel caso mi accadesse una sciagura..."
Un improvviso pallore scolorì il volto del detective. Doveva davvero separarsi dall'uomo a cui era riuscito a tenere dietro attraverso mezzo mondo e anche di più? Lasciarlo andare ad avventurarsi solo nella prateria!?
Fix fissò attentamente il gentleman. E, sebbene fosse ostinatamente fermo nelle proprie opinioni, finì per abbassare gli occhi davanti a quello sguardo calmo e sincero.
"Rimarrò" disse.
Dopo pochi minuti Phileas Fogg, stretta la mano alla signora Auda e consegnato a lei il suo prezioso sacco da viaggio, si allontanò a cavallo con il sergente e la piccola truppa.
Prima di partire, aveva detto ai soldati: "Ragazzi, vi prometto mille sterline se salviamo i prigionieri!"
Era mezzogiorno passato da qualche minuto. La signora Auda si era ritirata in una camera della stazione e, mentre tutta sola aspettava il ritorno di Phileas Fogg, non poteva fare a meno di pensare a quell'uomo, alla sua semplice e magnifica generosità, a quel suo tranquillo coraggio. Il signor Fogg aveva sacrificato tutti i suoi averi e adesso metteva in gioco persino la sua vita, e tutto questo senza esitare, semplicemente per dovere, senza ostentazione. Ai suoi occhi, Phileas Fogg era veramente un eroe.
Non la pensava allo stesso modo l'ispettore Fix, che non poteva controllare l'agitazione che lo dominava e stava per trasformarsi in col-

lera. Con passo nervoso, egli continuava ad andare su e giù davanti alla piccola stazione. Se poco prima si era lasciato dominare dallo sguardo di Sir Fogg, ora tornava a essere quello di prima e la sua vera indole riprendeva il sopravvento.

Partito il gentleman, a Fix sembrò subito un'imperdonabile sciocchezza aver permesso che si allontanasse. E l'ostinato poliziotto ora si accusava, si incriminava, recitava contro se stesso la parte che il direttore della polizia di Londra faceva quando strapazzava qualche agente colpevole di ingenuità.

"Sono stato uno sciocco!" si ripeteva mille volte Fix. "Il domestico gli avrà certamente detto chi sono. E ora quel furfante è sparito! Di sicuro non ritornerà e chi lo ritrova è bravo! Come ho potuto lasciarmi incantare così: io, Fix! Io che ho in tasca il suo mandato di cattura?! Sono proprio una gran bestia!"

Le ore trascorrevano con una esasperante lentezza per lo sfortunato detective, che non sapeva proprio che decisione prendere. A volte gli veniva voglia di dire tutto alla signora Auda, ma capiva come sarebbe stato accolto dalla giovane. Sarebbe stato meglio mettersi a vagare per la sconfinata prateria alla caccia di Fogg?

Per un istante gli sembrò che forse sarebbe stato possibile rintracciarlo: le orme della pattuglia erano ancora impresse sulla neve. Ma di lì a poco, con la nuova nevicata, ogni impronta era stata cancellata. Fu allora che lo scoraggiamento assalì Fix ed egli provò un'irresistibile voglia di abbandonare per sempre quell'impresa. L'occasione di andarsene dalla stazioncina di Kearney gli si presentò presto.

Verso le 14, mentre la neve continuava a cadere fitta, si udì un fischio prolungato che veniva da est. Un'enorme ombra, preceduta da una luce rossastra, avanzava adagio, ingrandita dalla nebbia che le dava un aspetto surreale. Eppure, non era previsto l'arrivo di nessun treno che venisse da quella parte. I soccorsi, chiesti per telegrafo a Omaha, non potevano arrivare così presto, e il diretto da Omaha a San Francisco non sarebbe passato che il giorno successivo.

Il mistero ebbe presto la sua spiegazione. La locomotiva che avanzava piano, sbuffando e fischiando, era quella che, dopo essere stata stac-

cata dal resto del convoglio, aveva continuato la sua corsa portando con sé il fuochista e il macchinista svenuti. I due erano rinvenuti quando già la macchina, percorse alcune miglia, aveva cominciato a rallentare per la mancanza di combustibile e stava per fermarsi nel mezzo della prateria. Trovatosi in quel deserto, con la sola locomotiva, il macchinista aveva intuito quel che doveva essere successo. Come la macchina fosse stata sganciata dal resto del treno, il brav'uomo non lo avrebbe mai potuto indovinare, ma gli era chiaro che il treno doveva essere rimasto indietro, in balia dei Sioux.
Il macchinista non esitò un attimo. Se avesse continuato in direzione di Omaha si sarebbe dimostrato prudente; al contrario, il dovere gli imponeva di ritornare là dove il treno con i viaggiatori si trovava certamente in pericolo. Nel fornello della motrice furono gettate palate di carbone. Il fuoco si ravvivò e la pressione del vapore ricominciò a salire. Verso le 14, la locomotiva giungeva a Kearney. Con grande soddisfazione dei viaggiatori, la motrice si mise subito in testa al treno: entro poco tempo il viaggio tanto tragicamente interrotto sarebbe ripreso.
La signora Auda si era avvicinata al conducente.
"Partite?" chiese assai preoccupata.
"Immediatamente, signora."
"Ma... i prigionieri? Quei nostri sfortunati compagni?"
"Io non posso interrompere il mio servizio" le rispose il macchinista. "Abbiamo già tre ore di ritardo."
"E quando passerà un altro treno proveniente da San Francisco?"
"Domani sera, signora."
La signora Auda sospirò: "Domani sera! Sarà troppo tardi. Non potete proprio aspettare?"
"Mi dispiace: come vi ho spiegato, è impossibile. Signora, se volete partire, affrettatevi anche voi a salire."
"Non partirò" rispose la giovane.
Il detective aveva ascoltato quella conversazione.
Pochi minuti prima, quando gli mancava un qualsiasi mezzo di locomozione, era deciso a lasciare Kearney; ed ora che il treno era lì

pronto a partire e che non gli restava altro da fare che occupare il proprio posto nello scompartimento, un'inspiegabile forza lo incatenò al suolo. La banchina della stazione gli scottava sotto i piedi, eppure egli non riusciva a staccarsene. Il suo spirito combattivo si riaccendeva e la collera per l'insuccesso lo soffocava. Fix non voleva abbandonare: desiderava compiere la propria missione fino all'ultimo.

Intanto, i feriti (fra cui il colonnello Proctor, che era sempre molto grave) erano stati trasportati nei vagoni. Si sentiva il ronzio della caldaia in temperatura e il sibilo del vapore che usciva dalle valvole. La locomotiva fischiò. Il treno si mise in marcia e scomparve fra il turbinio bianco della neve. Fix era restato.

La neve cadde meno abbondante durante la notte immensa e buia che avvolgeva silenziosa la pianura. Non un grido d'uccello, non un'orma di belva. La pattuglia partita alla ricerca degli scomparsi non ritornava. La signora Auda, con la mente colma di presentimenti sinistri e con il cuore angosciato, vagò sul limitare della prateria, tendendo l'orecchio e cercando di spingere lo sguardo il più lontano possibile tra nebbia e nevischio. Tremante, intirizzita, ogni tanto tornava nella sala d'aspetto della stazione dove era accesa una stufa tiepida e dove Fix, seduto su una panca, era immobile e non chiudeva occhio.

Nel cuore della notte, un uomo avvolto in un ampio mantello impellicciato si era avvicinato al detective e gli aveva detto qualcosa sottovoce. Fix gli aveva risposto con un cenno di rifiuto e quello si era allontanato.

All'alba, il disco pallido del sole si levò sopra un orizzonte di nebbia. Solo verso sud c'era una leggera schiarita e si poteva vedere fino a qualche miglio di distanza. Ovunque appariva un deserto immobile. Il capitano della guarnigione era pensieroso e inquieto. Capiva che era ora di prendere una decisione: spedire una seconda squadriglia in soccorso alla prima. Il vecchio soldato esitava.

"Sacrificare nuovi uomini, con così poche probabilità di salvare gli altri… che forse a quest'ora sono già stati uccisi?"

L'esitazione del capitano non durò a lungo. Improvvisamente, si riscosse come da un incubo e con un gesto chiamò uno dei suoi subalterni.

"Bisogna spingere qualcuno in ricognizione verso sud" disse asciutto. "Venti uomini ai miei ordini. Si parte subito."
In quell'istante echeggiarono secchi alcuni spari.
"Un segnale?!"
Il capitano e il subalterno si precipitarono fuori. A mezzo miglio si distingueva un drappello che avanzava rapido.
"Sono i nostri che tornano!"
L'annuncio fece sussultare il cuore della signora Auda e di Fix e tutti corsero incontro a quelli che tornavano. Phileas Fogg era alla testa del drappello. Accanto a lui c'erano il suo domestico e gli altri due viaggiatori strappati alle mani dei Sioux. C'era stato un combattimento, dieci miglia a sud di Kearney.
Pochi minuti prima dell'arrivo della pattuglia, Passepartout e i suoi due compagni di sventura stavano già lottando contro gli indiani che li avevano catturati. Il francese ne aveva uccisi due a suon di pugni e a quel punto il suo padrone e i soldati erano arrivati in soccorso. Alla stazione di Kearney, salvatori e salvati furono accolti con grida di gioia.
La signora Auda chiuse la mano del gentleman nella propria senza riuscire a dire una parola.
Phileas Fogg consegnò ai soldati il premio che aveva promesso, mentre Passepartout, commosso, guardava sorridendo e pensava: "Bisogna ammettere che costo un po' caro al mio padrone!"
In disparte, Fix osservava la scena, muto e quasi accigliato. Sarebbe stato difficile analizzare le emozioni che lottavano nel suo animo.
Intanto, Passepartout si era messo subito a cercare il treno in stazione: aveva pensato di trovarlo lì pronto sui binari.
"E il treno? E il treno?!" stava gridando.
"È partito" rispose Fix.
"Il prossimo treno quando passa?" domandò Phileas Fogg.
"Non prima di stasera."
"Ah!" 'L'impassibile gentleman' non aggiunse altro.

31 L'ispettore Fix prende molto a cuore gli interessi di Phileas Fogg

Phileas Fogg era ormai in ritardo di venti ore. Passepartout, causa involontaria di quel pasticcio, era letteralmente disperato.
"Ho rovinato il mio padrone!" si lamentava, torcendosi le mani.
In quel momento il detective si avvicinò a Sir Fogg e, guardandolo fisso in faccia, gli disse: «Avete proprio fretta, signore?"
"Molta fretta" rispose Phileas Fogg.
"Insisto: avete un interesse urgente di giungere a New York prima delle 21, per presentarvi in tempo alla partenza del piroscafo diretto a Liverpool?"
"Sì, un interesse massimo."
"Dunque, se il vostro viaggio non fosse stato interrotto dall'attacco degli indiani, sareste arrivato a New York la mattina dell'11, vero?"
"Sì, con dodici ore d'anticipo sul piroscafo."
"Perciò avete venti ore di ritardo. Fra venti e dodici, la differenza è otto. Sono otto ore da riguadagnare. Volete tentare?"
"A piedi?" domandò Phileas Fogg.
"No. In slitta a vela. Un tizio mi ha offerto questo mezzo di trasporto. Posso indicarvi l'uomo: è là che passeggia sulla banchina."
Si trattava dell'individuo che nella notte si era avvicinato a dire qualcosa all'orecchio di Fix. Phileas Fogg non rispose al detective, ma poco dopo si avvicinò all'uomo avvolto nel mantello, che continuava ad andare su e giù davanti alla stazione. I due scambiarono poche parole. Poi Phileas Fogg seguì lo sconosciuto. Insieme andarono a una capanna costruita ai piedi di Forte Kearney.
Là l'americano, che si chiamava Mudge, mostrò al gentleman un curioso veicolo. Era una slitta vera e propria, capace di trasportare cinque o sei persone, ma attrezzata con un albero e le vele come un cutter da corsa. L'albero si ergeva, diciamo così, a prua, ed era sostenuto da solide sartie metalliche; teneva una larga randa e tendeva uno straglio, pure di acciaio, che serviva a manovrare la vela di fiocco.

A poppa c'era il timone.
D'inverno, sulle praterie d'America, quando i treni restano bloccati dalla neve, queste slitte a vela sono utilissime e permettono di andare da una stazione all'altra molto rapidamente.
Con il vento in poppa, scivolano sulla piana ghiacciata alla velocità di un diretto: vere imbarcazioni da terra che hanno anche il vantaggio di non capovolgersi, tanto sono ben bilanciate.
"Vi piace la mia slitta?" chiese Mudge al gentleman.
"Potremmo di sicuro accordarci per il noleggio, se mi date la garanzia che si possa arrivare a Omaha in meno di cinque ore."
"Posso garantirlo, se il vento si mantiene forte dall'ovest come soffia ora. Il tempo è buono e la neve è dura. Viaggeremo benissimo."
Phileas Fogg rifletté un secondo.
"A Omaha" pensava, "sono frequenti i treni e numerosissime le linee di collegamento con Chicago e New York. Non è improbabile che il ritardo possa essere praticamente annullato." E concluse ad alta voce: "Tentiamo quest'avventura!"
Non volendo esporre la signora Auda ai disagi d'un viaggio allo scoperto, visto il gran freddo che faceva e che sarebbe stato reso ancora più tagliente dalla velocità della corsa, Phileas Fogg propose alla sua compagna di rimanere a Kearney con Passepartout. Il domestico si sarebbe preso la responsabilità di accompagnarla in Europa per una via più comoda e con mezzi più sicuri. La signora Auda rifiutò però di separarsi da Sir Fogg. Ne fu assai felice Passepartout, che per nulla al mondo avrebbe voluto lasciare il suo padrone, visto che Fix era ancora lì a tallonarlo.
Quel che intanto pensava il detective era ben diverso dalle sue opinioni di una volta. Il ritorno del gentleman aveva scosso la feroce ostinazione di Fix nel volerlo ritenere un truffaldino senza scrupoli. Qualche cedimento iniziava a manifestarsi nella sua rigida intransigenza. Tuttavia, sempre deciso a portare fino in fondo il proprio compito, si mostrava il più impaziente di tutti ad accelerare il ritorno in Inghilterra.
Alle 8 il veicolo di Mudge fu pronto per partire.
I passeggeri si rannicchiarono nel fondo della slitta avvolti nelle pel-

licce e nelle coperte da viaggio. Le due larghe vele furono issate e presero il vento, che vi soffiava gagliardo. Sul terreno coperto di neve indurita, l'equipaggio volò alla velocità di quaranta miglia all'ora.

"Da Kearney a Omaha" aveva spiegato Mudge al momento di partire, "ci sono, a volo d'ape (come dicono gli americani) non più di duecento miglia. Se il vento si mantiene e se non capitano incidenti, alle 13 potremmo essere a destinazione."

Poi Mudge non aprì più bocca: il vento della corsa glielo impediva. I viaggiatori stavano stretti l'uno all'altro. Nessuno fiatava. Ascoltavano la musica lamentosa delle sartie metalliche che vibravano come le corde di un gigantesco strumento toccate dall'arco.

Quando il vento arrivava radente, sembrava che la slitta si sollevasse da terra per la forza delle sue possenti vele. Mudge, al timone, con abili colpi di barra raddrizzava le sbandate che il suo leggero veicolo era costretto a subire. Il taciturno americano aveva tutto l'interesse di giungere a Omaha nel tempo stabilito, poiché Sir Fogg, fedele al proprio sistema, lo aveva incoraggiato con un sostanzioso premio.

La prateria era piatta come un mare. La slitta la tagliava in linea retta, accorciando di molto il tracciato della ferrovia, che si dipanava seguendo con un ampio semicerchio la sponda destra del fiume Platte: dovendo servire questo territorio, infatti, la ferrovia risaliva da sud-ovest a nord-ovest, passando per Grand Island, Columbus (importante città del Nebraska), Schuyler, Fremont e poi Omaha. Mudge non poteva temere di essere fermato da quel gomito che il fiume fa a circa venti miglia da Omaha, poiché la superficie del Platte era gelata.

Il bravo pilota si sentiva tranquillo: tutti gli elementi lo assecondava, in particolare il vento che soffiava con forza, al punto da flettere l'albero. Non erano tuttavia questi gli inconvenienti da temere: le sartie metalliche di sostegno svolgevano perfettamente il loro dovere. Anzi, il vento le faceva vibrare ricavandone un'armonia d'intensità particolare anche se lamentosa.

"Queste corde danno la quinta e l'ottava" disse Sir Fogg.

E queste furono le uniche parole che egli pronunciò in tutta quella traversata. La signora Auda, accuratamente avvolta in pellicce e coperte da viaggio, era protetta dagli assalti del freddo per quanto possibile. Quanto a Passepartout, anch'egli, con la faccia rossa come il disco del sole al tramonto, si sentiva invaso da pensieri ottimistici. Le sue speranze si ravvivavano: forse era probabilità che le cose si mettessero in modo da poter acciuffare a New York il piroscafo per Liverpool. In tanta buona disposizione d'animo, il francese fu lì lì per stringere la mano al detective.

"È lui che ha procurato la slitta" pensava. "Senza questo mezzo provvidenziale sarebbe stato impossibile arrivare in giornata a Omaha. Bisogna essere riconoscenti a Fix!"

Tuttavia, chi sa per quale presentimento, Passepartout si trattenne dal seguire l'impulso che lo spingeva a un gesto tanto caloroso.

All'improvviso un'ondata di altri commoventi pensieri assalì il servo di Sir Fogg. Ripensava al sacrificio che il gentleman aveva fatto senza esitare per strapparlo dalle mani dei Sioux.

"Per me ha rischiato il patrimonio e la vita! Oh, Passepartout non lo dimenticherà mai!"

E, intanto, la slitta volava sulla prateria bianca. Si attraversò qualche affluente del fiume Platte, ma nessuno se ne accorgeva: terreno e corsi d'acqua sparivano sotto uno strato di ghiaccio uniforme.

Quel tratto della prateria, compreso fra due tronchi della Ferrovia del Pacifico, era come una vasta isola deserta. Non si incontravano né villaggi né stazioni né forti. Di tanto in tanto fuggiva alla vista come un esile spettro qualche albero scheletrito e bianco che si contorceva al vento. Passavano stormi d'uccelli selvatici che volavano verso sud.

Più d'una volta, branchi ululanti si misero a inseguire la slitta. Erano lupi della prateria, magri, resi terribili dalla fame che li sospingeva dietro alla preda sfuggente.

Passepartout, con la pistola in pugno, era già pronto a far fuoco sui più vicini. Qualche sparo si mescolava all'urlio della torma: si vedeva qualche lupo volteggiare in aria e cadere rigando di sangue la neve.

In breve, il branco di assalitori si diradava e rimaneva indietro, mentre la slitta volava sicura verso la meta.

A mezzodì, Mudge riconobbe da certi indizi che si stava passando il corso gelato del Platte. Non disse nulla, ma ormai era sicuro che restavano da percorrere una ventina di miglia prima di giungere a Omaha. E, infatti, non era ancora passata un'ora che l'abile guidatore, abbandonando la barra, si precipitò ad ammainare le vele, mentre la slitta, trascinata dallo slancio, percorreva ancora mezzo miglio e si fermava. Mudge, additando un ammasso di tetti bianchi, annunciò: "Siamo arrivati".
"Arrivati!"
Erano arrivati infatti a quell'importante stazione che ogni giorno numerosi treni collegano con l'est degli Stati Uniti.
Passepartout e Fix saltarono a terra e si sgranchirono le membra intirizzite, poi aiutarono Phileas Fogg e la signora Auda a scendere. Phileas Fogg regolò con generosità il conto con Mudge, a cui Passepartout strinse la mano come a un vecchio amico.
La piccola comitiva si affrettò verso la stazione di Omaha. Era in questa importante città del Nebraska che si fermava la ferrovia del Pacifico propriamente detta, che mette in comunicazione il bacino del Mississippi con l'oceano. Per andare da Omaha a Chicago, la ferrovia, che porta il nome di Chicago Rock Island Road, corre direttamente verso est collegando cinquanta stazioni.
C'era un treno diretto pronto a partire. Phileas Fogg e i suoi compagni ebbero giusto il tempo di precipitarsi in un vagone. Non avevano visto proprio niente di Omaha, ma Passepartout ammise che non era il caso di rimpiangerlo, perché non erano lì per fare i turisti.
Con una celerità davvero notevole, il treno passò per lo stato dello Iowa, Council Bluffs, Des Moines, Iowa City.
Il giorno dopo, 10 dicembre, alle 16, giungeva a Chicago, che s'era già ripresa dalle sue rovine e si ergeva più fiera che mai sui bordi del lago Michigan. Da Chicago a New York ci sono novecento miglia.
I treni non mancavano affatto a Chicago e Sir Fogg passò immediatamente dall'uno all'altro. La scalpitante locomotiva del Pittsburg Fort Wayne Chicago Rail Road partì a tutta velocità, come se avesse compreso che quel gentleman non aveva tempo da perdere.

Attraversò come un lampo l'Indiana, l'Ohio, la Pennsylvania, il New Jersey, passando per delle città dai nomi antichi, alcune delle quali avevano già strade e rotaie per i tram, ma non ancora le case.
Infine, fece la sua comparsa l'Hudson e l'11 dicembre, alle 23 e 15, il treno si fermò alla stazione, sulla riva destra del fiume, proprio davanti al molo dei piroscafi della linea Cunard detta pure British and North American Royal Mail Steam Packet Co.
Il *China*, con destinazione Liverpool, era partito da quarantacinque minuti!

32 Phileas Fogg ingaggia una lotta personale contro la cattiva sorte

Salpando, il *China* aveva portato via con sé l'ultima speranza di Phileas Fogg. Infatti, nessun altro piroscafo diretto tra l'America e l'Europa poteva soddisfare le sue esigenze: né i transatlantici francesi, né le navi della White Star Line, né gli steamers della Compagnia Imman, né quelli della linea Amburghese, né qualsiasi altro.
In realtà, il *Pereire* della Compagnia transatlantica francese (i cui meravigliosi bastimenti pareggiano in velocità e superano al confronto tutti, senza eccezioni, quelli delle altre linee) sarebbe partito solo due giorni dopo, il 14 dicembre. E d'altronde anche quello, come quelli della Compagnia Amburghese, non andava direttamente a Liverpool o a Londra, ma a Le Havre, e la traversata supplementare da Le Havre a Southampton, facendo ritardare Phileas Fogg, avrebbe reso vani i suoi ultimi sforzi.
Quanto ai piroscafi Imman, uno dei quali, il *City of Paris*, partiva il giorno dopo, non bisognava nemmeno pensarci. Questo tipo di imbarcazioni sono particolarmente usate nel trasporto dei migranti, le loro macchine sono deboli, navigano a vela quanto a vapore e sempre a velocità mediocre. Per attraversare l'Atlantico da New York

all'Inghilterra impiegavano ben più tempo di quanto ne avesse Sir Fogg per vincere la sua scommessa. Il gentleman si rese conto di tutto questo consultando il suo Bradshaw, che gli permetteva di conoscere, giorno per giorno, i movimenti della navigazione transoceanica.

Passepartout era folgorato. Il fatto di avere perso il piroscafo per soli quarantacinque minuti gli bloccava il respiro. Era colpa sua, proprio sua, e lui anziché aiutare il suo padrone non aveva smesso di seminare ostacoli sul suo percorso!

Quando ripercorreva con la memoria tutti gli incidenti di quel lunghissimo viaggio, quando calcolava le somme spese in perdita e per il suo solo interesse, quando pensava che quell'incredibile scommessa, se poi si aggiungevano le spese notevoli di quell'inutile viaggio, rovinava del tutto Sir Fogg, si sarebbe preso a schiaffi.

Sir Fogg non gli fece però alcun rimprovero e, allontanandosi dai piroscafi transatlantici, disse soltanto: "Domani provvederemo. Seguitemi".

Sir Fogg, la signora Auda, Fix e Passepartout attraversarono l'Hudson nel Jersey City Ferry-boat e salirono poi su di una carrozza che li portò all'albergo Saint-Nicolas, a Broadway.

La notte fu ristoratrice per Phileas Fogg, che dormì un sonno perfetto; ma fu tormentata per la signora Auda e per i suoi compagni, ai quali la preoccupazione non permise di chiudere occhio. Il giorno dopo era il 12 dicembre. Il gentleman, sveglio di buon mattino, ricapitolò un momento nella memoria il suo bilancio orario.

"Dalle ore 7 di stamane, 12 dicembre, alle 8 e 45 di sera del 21 dello stesso mese ci sono esattamente 9 giorni, 5 ore e 45 minuti. Se fossi partito ieri col *China*, uno dei migliori mezzi della linea transatlantica inglese, sarei giunto a Liverpool e da Liverpool a Londra nel tempo necessario! Ma forse qualcosa resta da tentare."

Phileas Fogg lasciò l'albergo, da solo, dopo avere raccomandato al suo domestico di aspettarlo e di avvisare la signora Auda che si tenesse pronta a partire in qualsiasi momento.

Una carrozza portò il gentleman in riva all'Hudson, dove una fila di navi erano ormeggiate al molo o ancorate sul fiume.

Da quel grandioso e magnifico porto di New York non c'era giorno, già ai tempi di questo racconto, che centinaia di navi non salpassero per tutti i punti del globo. Si trattava per la maggior parte di imbarcazioni a vela, ma non erano quel che serviva a Fogg. Il gentleman lì per lì ebbe l'impressione di dover rinunciare al suo ultimo tentativo, quando scorse, ancorato davanti alla Batteria, un modesto vapore da carico, di forme sottili e dalla cui ciminiera uscivano sbuffi di fumo: segno che era in partenza.

Phileas Fogg saltò in una lancia e noleggiò il traghetto. Con pochi colpi di remo, il barcaiolo lo portò sottobordo al piccolo vapore da carico: l'*Henrietta*, uno steamer dallo scafo di ferro ma che aveva le soprastrutture in legno. Fu chiesto di calare la biscaglina e un istante dopo Phileas Fogg metteva piede sul ponte e chiedeva del capitano, che arrivò subito. Era un uomo di cinquant'anni, non molto simpatico, corpulento, coi capelli rossicci e la pelle color bronzo.

Il gentleman si assicurò: "Il capitano?"

"Sono io."

"Sir Phileas Fogg, di Londra."

"E io Andrew Speedy, inglese di Cardiff."

"State per partire?"

"Fra un'ora."

"E dove andate?"

"A Bordeaux."

"Il vostro carico qual è?"

"Ciottoli nella stiva. Parto con la zavorra."

"Avete passeggeri?"

"Nemmeno per sogno! Mai passeggeri sulla mia nave: sono mercanzia che ragiona e perciò dà fastidio."

"La vostra nave va bene?"

"Caspita, l'*Henrietta* è conosciuta da tutti! Fila tra gli undici e i dodici nodi all'ora."

"Vorreste trasportare a Liverpool me e tre persone?"

"A Liverpool? E perché non in Cina?"

"Ho detto Liverpool."

"No!"

"No?"

"No. Io sono in partenza per Bordeaux, e a Bordeaux vado."

"A qualunque costo?"

"A qualunque costo."

Il capitano aveva parlato con un tono che non ammetteva repliche.

"Ma gli armatori dell'*Henrietta*..." tentò Phileas Fogg.

"Gli armatori sono io" rispose il capitano. "La nave è mia."

"La noleggio."

"No."

"La compro."

"No."

Phileas Fogg non batté ciglio. Eppure la situazione si faceva grave. Il capitano della *Henrietta* non era, purtroppo, come il padrone della *Tankadère*!

Fino a qui il denaro del gentleman aveva sempre rimosso gli ostacoli: stavolta nemmeno il denaro serviva. Per qualche istante Sir Fogg rimase soprappensiero. Bisognava assolutamente trovare il mezzo di attraversare l'Atlantico in battello... o attraversarlo in mongolfiera, cosa che sarebbe stata molto avventurosa e, del resto, non realizzabile.

Si sarebbe detto che a un tratto il gentleman avesse pensato un piano, perché disse al capitano: "Ebbene, volete portarmi a Bordeaux?"

"Nemmeno se mi offrite duecento dollari."

"Ve ne offro duemila."

"A testa?"

"A testa."

"E siete quattro?"

"Quattro."

Il capitano Speedy cominciò a grattarsi la fronte. Ottomila dollari da guadagnare senza modificare la rotta non erano da disprezzare. Valeva la pena, una volta tanto, mettere da parte l'irriducibile antipatia per ogni tipo di passeggeri: a duemila dollari l'uno non si trattava più di passeggeri, ma di merce preziosa!

"Parto alle 9" disse semplicemente il capitano Speedy. "E se voi e i vostri vi fate trovare pronti..."

“Alle 9 saremo a bordo» rispose con altrettanta semplicità Sir Fogg.
Erano le 8 e 30.
Sbarcare dall'*Henrietta*, saltare su una carrozza, arrivare all'albergo, portare via la signora Auda, Passepartout e l'ormai inseparabile Fix, cui veniva cortesemente offerto un nuovo passaggio gratis, furono cose compiute dal gentleman con rapidità e al tempo stesso con una calma da sbalordire.
Tutti erano a bordo nel momento in cui l'*Henrietta* levava l'ancora.
Quando Passepartout seppe l'importo concordato per il nolo, cacciò uno di quegli 'oh' che si distendono su tutta la scala dei vocalizzi ascendenti e discendenti.
Fix, da parte sua, pensava che decisamente la Banca d'Inghilterra se la sarebbe vista assai brutta con quell'affare. Infatti, ammesso che si approdasse sani e salvi a Liverpool, e ammesso che il signor Fogg non gettasse qualche altra manciata d'oro in mare, dal sacco delle banconote sarebbero mancate, per ora, ben settemila sterline!

33 Phileas Fogg si mostra all'altezza delle circostanze

Un'ora più tardi, lo steamer *Henrietta* sorpassò la linea di galleggianti che demarca l'ingresso dell'Hudson, aggirò la punta di Sandy Hook e si diresse in mare aperto. Nell'arco della giornata, costeggiò Long Island al largo del faro di Fire Island, e si diresse a est.
Il giorno successivo, il 13 dicembre, a mezzogiorno, con un magnifico sole splendente nel blu cobalto del cielo, un uomo saliva sulla plancia dell'*Henrietta* per rilevare il punto astronomico.
Ma chi penserebbe che quell'uomo non era il capitano Speedy? Invece, era Phileas Fogg! Speedy a quell'ora si trovava chiuso a chiave nella propria cabina e urlava come uno la cui collera è montata fino al parossismo: una rabbia, del resto, ben comprensibile.

Che cos'era successo? Semplicissimo. Basti ricordare che Phileas Fogg voleva andare a Liverpool e che il capitano Speedy non aveva acconsentito a portarvelo. Allora, il gentleman aveva accettato un passaggio per Bordeaux. Ma, dopo trenta ore a bordo, aveva così ben manovrato a suon di banconote, che l'intero equipaggio, gente avventuriera che con Speedy non se la intendeva troppo, era in pugno al nuovo comandante. Infatti, Phileas Fogg aveva preso il posto e le funzioni del capitano Speedy ed ecco perché quello era stato rinchiuso nella sua cabina ed ecco infine perché l'*Henrietta* si stava dirigendo verso Liverpool. A vederlo manovrare non c'era da dubitare che si trattasse di un provetto marinaio.
Le macchine dell'*Henrietta* erano state messe sotto pressione e le valvole di sussidio erano state aperte.
"Tra gli undici e i dodici nodi all'ora" aveva detto Speedy: ebbene, Phileas Fogg aveva saputo finora mantenere la massima velocità. Si poteva sperare di arrivare a Liverpool il 21 dicembre.
Tuttavia, restavano ancora molti 'se' in aria: se il mare non diventava agitato, se il vento non cambiava, se non capitava qualche guasto di macchina... A Liverpool, alla fine, l'affare del cambio di rotta dell'*Henrietta*, annodandosi con l'affare della Banca, avrebbe anche potuto causare sgradevoli complicazioni per il gentleman e portarlo un po' più lontano di dove voleva arrivare.
Durante i primi giorni, la navigazione avvenne in condizioni eccellenti. Il mare non era troppo teso; il vento sembrava stabile al nord-est e furono perciò distese le vele e con tutte le sue golette l'*Henrietta* avanzò come un vero transatlantico.
Passepartout era stupefatto. Il gesto deciso del suo padrone, di cui cercava di non immaginare le conseguenze, lo entusiasmava.
L'equipaggio non aveva mai visto un giovanotto più gioviale e più intraprendente. Faceva amicizia con i marinai e li stupiva con le sue manovre. Attribuiva loro gli appellativi migliori e distribuiva le bevande più gustose. A sua detta, quei marinai manovravano come gentleman e i fuochisti erano veri eroi.
Il suo buon umore, contagioso, si trasmetteva a tutti.

Aveva già dimenticato il passato, i fastidi, i pericoli. Aveva il pensiero fisso alla meta, e a volte ribolliva d'impazienza, come se fosse anche lui scaldato dalla caldaia dell'*Henrietta*. Spesso, per di più, girava attorno a Fix e lo guardava come a dire: "Eh, noi la sappiamo lunga!», ma non gli rivolgeva la parola, perché non v'era più alcuna confidenza tra i due ex amici.
Fix invece non capiva più nulla. Quel colpo di mano sull'*Henrietta*, la corruzione dell'equipaggio, Fogg che manovrava come un lupo di mare, per lui erano cose sconcertanti.
E ci ragionava su, arrivando a conclusioni impressionanti: «Un gentleman che comincia rubando cinquantacinquemila sterline può ben finire col rubare un bastimento! E sta' a vedere che non va affatto a Liverpool, ma in qualche parte del mondo dove potrà stare al sicuro e mettersi impunemente a fare il pirata!"
A questo punto del ragionamento, il povero detective cominciava a sudare freddo e a pentirsi amaramente di essersi imbarcato in quell'avventura.
Il capitano Speedy, intanto, continuava a urlare chiuso in cabina. E Passepartout, incaricato di portargli il vitto, svolgeva il compito prendendo molte precauzioni. Per robusto che fosse, non si sentiva troppo sicuro. Sir Fogg, invece, non aveva neanche l'aria di immaginare che ci potesse essere un capitano a bordo.
Si arrivò nei paraggi insidiosi del banco di Terranova, dove d'inverno regnano le nebbie e dove i colpi di vento sono formidabili. Già la sera prima il barometro, bruscamente abbassatosi, faceva prevedere un prossimo cambiamento nell'atmosfera. In realtà, durante la notte, la temperatura cambiò, il freddo divenne più intenso e il vento saltò verso il sud-est. Era un contrattempo grave.
Sir Fogg, per non allontanarsi dalla rotta prefissata, dovette ammainare le vele e sfruttare di più il vapore. Ciò nonostante, l'imbarcazione venne rallentata, visto anche lo stato del mare, le cui lunghe ondate andavano a frangersi sul tagliamare. Questo provocava movimenti molto violenti di beccheggio e nuoceva alla velocità. La brezza andò trasformandosi poco a poco in uragano e bisognò prendere in consi-

derazione che l'*Henrietta* non riuscisse a mantenersi con la prua verso le onde. Certo, che se si fosse trattato di sfuggire a un uragano, si sarebbe andati verso l'ignoto, con tutte le sue spaventose incertezze.
Il volto di Passepartout era rabbuiato con il cielo e per due giorni il buon giovanotto patì pene mortali. Ma Phileas Fogg dava prova di essere un marinaio ardito, che sapeva tenere testa al mare e mantenne fermamente la rotta, senza nemmeno diminuire la pressione del vapore. Quando l'*Henrietta* non poteva alzarsi sulle onde, vi passava in mezzo e allora il ponte era spazzato da un capo all'altro, ma la marcia proseguiva.
Qualche volta una montagna d'acqua sollevava la poppa fuori dei flutti: l'elica emergeva battendo a vuoto l'aria con le braccia affannate; ma il naviglio andava sempre avanti.
Il vento, però, non aumentò di intensità quanto si sarebbe potuto temere. Non era uno di quegli uragani che passano alla velocità di novanta miglia all'ora. Si mantenne in proporzioni accettabili, ma sfortunatamente continuò a soffiare ostinatamente in direzione sud-est e non consentì di utilizzare la velatura. E, tuttavia, come si potrà ammirare presto, sarebbe stato davvero utile supportare il vapore!
Il 16 dicembre era il settantacinquesimo giorno dalla partenza da Londra. L'*Henrietta*, insomma, non aveva ancora accumulato un ritardo notevole. Ormai si era alla metà della traversata e la zona più pericolosa era ormai alle spalle. Se fosse stato d'estate, si sarebbe già potuto pensare al successo. D'inverno, però, si era in balia della cattiva stagione.
Passepartout continuava a mantenersi incerto. In fondo, però, era fiducioso e si diceva che, se il vento si faceva aspettare, almeno si poteva contare sul vapore.
Ebbene, proprio quella mattina il macchinista salì sul ponte per cercare Sir Fogg e i due s'intrattennero a parlare a lungo e animatamente. Senza sapere perché, ma di sicuro per un presentimento, Passepartout, quando li vide, si sentì assalito dall'inquietudine. Avrebbe dato una delle sue orecchie per sentire con l'altra quel che il suo padrone e il macchinista dicevano. Poté cogliere alcune frasi.

"Siete certo di ciò che dite?"
"Più che certo, signore. È dalla partenza che stiamo avanzando con tutte le macchine accese. Il carbone poteva bastare per andare a piccolo vapore da New York a Bordeaux, ma non ne abbiamo abbastanza per andare a tutto vapore da New York a Liverpool..."
"Ci penserò" rispose Sir Fogg.
Passepartout aveva capito, e impallidì. Il carbone stava per mancare!
"Ah, se il mio padrone rimedia anche a questa faccenda, bisogna dire che è più che un uomo: è un semidio!" esclamò tra sé il francese. Ed essendosi in quel momento trovato fra i piedi Fix, non poté fare a meno di aggiornarlo.
"E voi siete tanto ingenuo da credere che andiamo a Liverpool?!" rispose a denti stretti il detective.
"Diamine!"
"Imbecille!" ribatté Fix, e se ne andò scrollando le spalle.
Passepartout, senza capire la vera ragione dell'ingiuria, fu sul punto di reagire. Lo fermò un pensiero: "Bisogna compatirlo. Deve avere addosso una buona dose di malumore. Che si accresce man mano che prende coscienza di avere tanto stupidamente inseguito una falsa traccia intorno al globo!"
E Passepartout, per il momento, perdonò Fix.
Phileas Fogg stava intanto prendendo una decisione importantissima.
"Alimentate i fuochi" ordinò al macchinista. "E avanti fino a che c'è carbone in macchina!"
In pochi minuti, la ciminiera dell'*Henrietta* vomitava torrenti di fumo.
Il bastimento filò a tredici nodi all'ora per altri due giorni. Il 18 dicembre il macchinista annunciò al signor Fogg che il carbone sarebbe finito in giornata.
"Non lasciate spegnere le macchine" fu la risposta. "Anzi, mettete le valvole sotto pressione!"
Era l'ostinazione di un pazzo?
Quel giorno, verso mezzogiorno, dopo avere rilevato la posizione della nave, Phileas Fogg chiamò Passepartout e gli diede ordine di andare a liberare il capitano Speedy.

Fu come se gli avessero comandato di liberare dalla catena una tigre. Scese nel cassero a passi incerti, borbottando fra i denti: "Il cielo me la mandi buona!

Qualche minuto dopo, fra un diluvio d'urla e di bestemmie, una bomba piombava sul ponte dell'*Henrietta.*

Era il capitano Speedy.

"Dove siamo?!" furono le prime parole comprensibili che pronunciò nella foga dell'ira.

"Siamo a settecentosettanta miglia da Liverpool" rispose Phileas Fogg, perfettamente calmo.

Andrew Speedy, con gli occhi iniettati di sangue, parve sul punto di scoppiare.

"Pirata!" urlò.

"Vi ho fatto salire, signore..."

"Schiumatore di mare!"

"Vi ho fatto venire, signore" riprese il gentleman, "per pregarvi di vendermi la vostra nave."

"No! Per tutti i diavoli! No!"

"Perché, vedete, fra poco sarò costretto a bruciarla."

"Bruciare la mia nave?!"

"Intendo bruciare almeno le soprastrutture. Non abbiamo più combustibile."

"Bruciare la mia nave?!" ripeté Speedy, che si sentiva venir meno dalla collera. "Siete pazzo?! Una nave che vale cinquantamila dollari!"

"Eccovene sessantamila" rispose Phileas Fogg, porgendo al capitano un fascio di banconote.

L'effetto di quella carta su Andrew Speedy fu prodigioso. Quando si è americani, la visione di sessantamila dollari causa una notevole emozione. Rabbia, dispetto, il risentimento per la prigionia dei giorni passati, tutto sbollì in un attimo per lasciare spazio a una certa emozione.

"La mia nave ha più di vent'anni di mare" pensava Speedy, improvvisamente zittito. "Questo è un affare d'oro!"

La bomba non poteva più scoppiare: Phileas Fogg aveva strappato

la miccia.
"E lo scafo in ferro mi rimarrà?" chiese Speedy con un tono più mite.
"Lo scafo e la macchina, certo. Affare fatto?"
"Affare fatto."
Il capitano ghermì il fascio delle banconote e lo fece immediatamente scomparire nelle sue tasche.
Passepartout e il detective, che assistevano alla scena, sbiancarono.
"Altre ventimila sterline! Il mio premio sta per andarsene in fumo…" fu il pensiero di Fix. "E questo Fogg lascia al suo venditore pure lo scafo e la macchina, e cioè quasi il valore totale dell'imbarcazione! È vero, però, che la somma rubata alla Banca era di ben cinquantacinquemila sterline!"
Phileas Fogg, intanto, spiegava ad Andrew Speedy: "Capitano, la cosa non deve sorprendervi. Sappiate che io perdo ventimila sterline se non sono di ritorno a Londra il 21 dicembre alle ore 20 e 45. Poiché ho perduto il piroscafo da New York e siccome voi avete rifiutato di condurmi a Liverpool..."
"E avevo ragione, per tutti i diavoli! Ho guadagnato almeno quarantamila dollari, sapete?" soggiunse, quindi, più pacatamente, "devo dirvi una cosa, capitano..."
"Fogg."
"Capitano Fogg, c'e dello yankee in voi!"
E il grezzo marinaio, dopo questa specie di complimento, strinse la mano al suo passeggero e fece per andarsene.
Il gentleman lo trattenne.
"Un momento: questa nave dunque mi appartiene?»
"Certo! Dalla chiglia alla punta degli alberi... per tutto quel che è legno, s'intende.»
Allora, a bordo dell'*Henrietta*, la voce energica di Phileas Fogg lanciò il più bizzarro comando che mai sia stato dato: "Si demoliscano tutte le parti in legno della nave! E, con i rottami, fuoco nella macchina!"
Quel giorno il casseretto, le cabine, gli alloggi, il falsoponte, tutto fu ridotto in cenere.
Il giorno dopo, 19 dicembre, furono bruciate le alberature, le dare,

le pennole. Quei tronchi giganteschi furono atterrati e spaccati a colpi di ascia. Era una febbre da demolizione a cui partecipava l'intero equipaggio: Passepartout in testa, tagliando, frantumando, segando, facendo il lavoro di dieci uomini. Al terzo giorno si passò a bruciare le impavesate, le opere morte e buona parte della tolda. Lo scafo dell'*Henrietta* era raso come un pontone. Intanto, si era giunti in vista della costa d'Irlanda e del faro di Fastenet. Alle 22, tuttavia, l'isola non era stata ancora superata e l'*Henrietta* si trovava esattamente all'altezza di Queenstown, verso cui volgeva il babordo.

Non rimanevano a Phileas Fogg che ventiquattr'ore per arrivare a Londra nei termini della scommessa. Altrettante ne sarebbero servite invece all'*Henrietta* per arrivare soltanto a Liverpool, quand'anche fosse filata a tutto vapore. Per di più, il combustibile stava per finire: la pressione del vapore nella macchina calava inevitabilmente. Speedy, che ormai era coinvolto nei progetti del suo passeggero, gli si avvicinò.

"Sir Fogg" gli disse, «vi compiango davvero! Siamo solo davanti a Queenstown."

"Ah!" rispose il gentleman. "È Queenstown quella città di cui si scorgono i fuochi?"

"Sì."

"Possiamo entrare nel porto?"

"Non prima che siano passate tre ore, quando arriverà l'alta marea."

"Aspettiamo."

Sul volto del gentleman non trapelò per nulla il lampo d'ispirazione con cui stava ancora una volta per sconfiggere la sorte avversa.

Phileas Fogg sapeva, infatti, che Queenstown è un porto della costa d'Irlanda a cui i transatlantici che provengono dagli Stati Uniti fanno breve scalo per il servizio postale.

Da Queenstown la posta è inoltrata a Dublino per mezzo di treni espressi che si succedono in partenza con serrato orario; e da Dublino a Liverpool l'allacciamento postale è completato con piroscafi celerissimi. Quindi, seguendo questo itinerario, si anticipavano di circa dodici ore i più rapidi collegamenti della linea transatlantica.

Dunque, Sir Fogg decise con matematica precisione: "Le dodici ore che guadagna così il corriere d'America, le guadagnerò pure io. Invece di arrivare con l'*Henrietta* domani sera a Liverpool, seguendo l'altro itinerario ci sarò a mezzogiorno: avrò il tempo di arrivare a Londra prima che scada l'ora fatidica".

Verso l'una del mattino, con il favore dell'alta marea, l'*Henrietta* entrò nel porto di Queenstown.

Il gentleman, dopo aver ricevuto una vigorosa stretta di mano dal capitano Speedy, lo lasciava sullo scafo raso della sua nave che, pur ridotta così, rappresentava ancora un discreto capitale: la metà della cifra che Speedy si era fatta pagare.

I passeggeri sbarcarono rapidi. In quel momento, Fix sentì una voglia feroce di arrestare la sua vittima. Non lo fece. Perché? Quale lotta avveniva dentro di lui? Si era forse ricreduto sul conto del gentleman? Aveva finalmente capito d'essersi sbagliato? Egli stesso non avrebbe saputo rispondere. Fix non abbandonò Phileas Fogg. Con lui, con la signora Auda e con Passepartout, che non trovava più il tempo per respirare, si mise in uno scompartimento del direttissimo per Dublino.

A Dublino, sul far del giorno, tutti s'imbarcarono su uno di quegli steamers della Compagnia Inglese, che somigliano a fusi d'acciaio e hanno macchine potentissime.

Alle 11.40, il 21 dicembre, Phileas Fogg sbarcò finalmente a Liverpool. Ormai era a sei ore da Londra. In quel momento Fix gli si avvicinò, gli posò una mano sulla spalla e mostrando il mandato disse:

"Il signore Phileas Fogg?"

"Sì, io in persona."

"In nome della Regina: siete in arresto!"

34 Passepartout ha il modo di fare un gioco di parole terribile ma forse inconsueto

Phileas Fogg era finito in carcere. Era stato rinchiuso nel posto di guardia della Dogana di Liverpool, in attesa di venire trasferito alle prigioni di Londra.

Fix lo aveva arrestato perché il suo dovere glielo imponeva, fosse il gentleman colpevole o no. Di questo avrebbe deciso la Giustizia.

Al momento dell'arresto c'era voluto l'intervento di alcuni policemen per togliere il troppo solerte agente dalle mani di Passepartout, che gli si era scagliato contro come una belva.

La signora Auda, spaventata dalla brutalità di quel che accadeva, non sapendo nulla, non riusciva a capire cosa stesse succedendo. Fu il francese a spiegarle tutto e allora abbondanti lacrime sgorgarono dagli occhi della giovane, mentre il suo cuore si dibatteva tra sdegno e dolore.

"Sir Fogg, l'onesto e coraggioso gentleman a cui debbo la vita, arrestato come un ladro?! Ah, è un'infamia! Una cosa inconcepibile!"

Davanti alle lacrime della signora Auda, più che mai terribile si riaffacciò allora alla mente di Passepartout il pensiero che egli era la causa della sciagura. Perché s'era preso la responsabilità di non avvertire il suo padrone il giorno che Fix gli aveva svelato la propria identità e la missione di cui era incaricato? Sir Fogg, avvisato, avrebbe senza dubbio dato a Fix le prove della sua innocenza e gli avrebbe dimostrato il suo errore. A ogni buon conto, non avrebbe scorrazzato a spese del gentleman quel dannato poliziotto la cui prima preoccupazione era stata di arrestarlo appena messo piede in Inghilterra!

"La mia è stata un'imperdonabile imprudenza, proprio da uomo sciocco che sta a pensare a inutili riguardi!" continuava a ripetersi Passepartout. E piangeva. Faceva pena: voleva picchiare la testa contro il muro. La signora Auda riuscì pian piano a calmarlo. Erano rimasti sotto il porticato della Dogana. Né l'uno né l'altra si decidevano a muoversi da lì: volevano rivedere Sir Fogg.

"Chi sa in che stato d'animo si troverà il mio padrone capendo di

essere ormai irrimediabilmente rovinato!" pensava con angoscia il fedele domestico.
Chi, invece, fosse entrato in quel momento nel posto di guardia della Dogana di Liverpool, avrebbe trovato il gentleman seduto sopra una panca, olimpicamente tranquillo ad aspettare... Che cosa? Conservava ancora qualche speranza? Credeva ancora nella riuscita della sua impresa, anche in simili condizioni? Oppure si era addensato in lui uno di quei furori segreti, compressi, terribili, che non appaiono, ma che scoppiano poi con una forza irresistibile?
Comunque fosse, Sir Fogg aveva tolto pacatamente il suo orologio dal taschino, lo aveva posato sopra la tavola e ne guardava girare le lancette. Non una parola gli usciva dalle labbra; il suo sguardo era stranamente fisso. La situazione di quell'uomo era certo molto critica. E chi non poteva leggere nella sua coscienza l'avrebbe riassunta così: se innocente, Phileas Fogg era a ogni modo rovinato; se colpevole, era perso. Ebbe in quel momento il pensiero di salvarsi? Pensò a cercare se vi fosse una possibile via d'uscita?
Non è da escludere, poiché a un certo punto il gentleman fece il giro della stanza. Ma la porta era sprangata dall'esterno e le finestre erano chiuse da solide sbarre.
Phileas Fogg tornò a sedere ed estrasse dal portafogli il suo itinerario di viaggio.
Sulla linea dove erano scritte queste ultime parole: *21 dicembre, sabato-Liverpool* aggiunse: *Ottantesimo giorno, ore 11 e 40 del mattino.*
E si rimise nell'atteggiamento di chi tranquillamente aspetta.
Suonarono le 13 all'orologio della torre. Sir Fogg constatò che il suo orologio era avanti di due minuti rispetto a quello della torre e lo regolò. Suonarono le quattordici!
La fronte di Sir Phileas Fogg si corrugò lievemente. Certo egli pensava che salendo in quel momento sopra un direttissimo avrebbe potuto giungere a Londra, al Reform Club, prima dello scoccare dell'ora prestabilita.
Il ticchettio dell'orologio in quella lugubre prigione piena di silenzio sembrava la voce d'una condanna inesorabile.

Alle 14 e 33, fuori della porta risuonò un rumore di passi, poi uno stridore di catenacci rimossi. Si sentiva la voce di Passepartout, si sentiva la voce di Fix. Lo sguardo di Phileas Fogg brillò per un istante.
La porta del posto di guardia si aprì: la signora Auda, Passepartout e Fix si precipitarono incontro al gentleman. Fix era trafelato, aveva i capelli scomposti e non riusciva a parlare.
"Signore..." balbettò, "signore... perdonatemi! Una sciagurata somiglianza... Il ladro è stato arrestato da tre giorni... Voi siete libero!"
"Ah, sono libero!"
Sir Phileas Fogg non disse altro. Fece due passi verso il detective, lo guardò bene in faccia. Poi, compiendo l'unica mossa rapida che mai avesse fatto e mai avrebbe fatto in vita sua, tirò indietro le braccia e con la precisione di un automa assestò uno dopo l'altro due formidabili pugni all'infelice poliziotto.
"Ben fissati!" approvò Passepartout, che si permetteva così un atroce gioco di parole ben degno di un francese e aggiunse: "Perdiana!"
Ecco quel che si può chiamare un bell'uno-due della boxe inglese!
Fix, caduto a terra, non disse nemmeno una parola. Aveva avuto quel che meritava.
Lasciando il detective a scrollarsi di dosso la polvere, Sir Fogg, la signora Auda e Passepartout si precipitarono fuori della Dogana e, saliti su una carrozza, raggiunsero la stazione centrale. Erano le 14 e 40.
Il diretto per Londra era partito da trentacinque minuti. Phileas Fogg ordinò allora un treno speciale.
C'erano parecchie locomotive di grande velocità in manovra in stazione, con le caldaie surriscaldate. Tuttavia, date le esigenze del movimento, il treno speciale non poté lasciare Liverpool prima delle 15.
Al momento della partenza, Phileas Fogg aveva detto alcune paroline al macchinista, su un certo premio che poteva guadagnare: ma bisognava percorrere in cinque ore e mezzo, anziché in sei, la distanza Liverpool-Londra. Cosa fattibilissima, se tutta la linea fosse stata sgombra, condizione che difficilmente si verifica e, infatti, ci furono dei forzati ritardi.
E, quando il gentleman mise finalmente piede sulla banchina della

stazione di Londra, le lancette del grande orologio sotto la pensilina segnavano esattamente le 20 e 50.

Phileas Fogg, dopo aver compiuto l'avventurosissimo viaggio intorno al mondo, arrivava con cinque minuti di ritardo.

Aveva perduto la scommessa.

35 Passepartout non si fa ripetere due volte l'ordine del suo padrone

Il giorno successivo, gli abitanti di Saville Row si sarebbero detti increduli se qualcuno avesse detto loro che il signor Fogg era tornato alla propria casa.

Porte e finestre della casa al numero 7 continuavano a rimanere ermeticamente chiuse; nessun cambiamento esterno faceva pensare che la casa non fosse più disabitata. Infatti, proprio questo era stato l'ordine dato da Phileas Fogg al suo servo al momento di fare ingresso nel loro alloggio subito dopo avere lasciato la stazione e avere acquistato alcune provviste.

Sir Phileas Fogg aveva ricevuto con l'impassibilità consueta il colpo finale datogli dalla cattiva sorte. Ma, certo, riconosceva lucidamente di essere un uomo finanziariamente finito: e tutto per colpa di quel balordo ispettore di polizia. Dopo avere camminato con passo sicuro per tanta strada, dopo avere affrontato mille pericoli, abbattuto mille ostacoli, trovando anche il tempo di fare un po' di bene per strada, dover naufragare proprio ora che era giunto in porto, e per una causa sciocca, imprevedibile, contro la quale era totalmente disarmato!

Davvero una cosa triste. Della somma considerevole con cui era partito non gli rimaneva che un modestissimo residuo. Tutte le sue finanze ormai si riducevano alle ventimila sterline depositate ancora presso i Fratelli Baring. Ma quelle le doveva ai suoi colleghi del Club! È vero che, se pure avesse vinto la scommessa, dopo tante spese fatte non sarebbe stato ricco (del resto non aveva mai pensato ad arricchirsi: aveva scommesso per puntiglio), ma è vero che la scommessa perduta lo riduceva alla rovina.

Il gentleman concluse il proprio bilancio prendendo mentalmente una decisione. Sapeva qual era l'unica cosa che gli rimaneva da fare.

Nella casa di Saville Row intanto c'erano a quell'ora due anime in pena. La signora Auda, alla quale era stato subito riservata una stanza dell'abitazione, poteva definirsi addirittura disperata: dalle ultime parole dette da Phileas Fogg prima di ritirarsi le era sembrato di capire che meditasse qualche progetto infausto. Si sa, infatti, a quali deplorevoli eccessi arrivino a volte gli inglesi afflitti da un'idea fissa. La stessa impressione l'aveva avuta pure Passepartout che, senza darlo a vedere, teneva d'occhio il suo padrone.

Il bravo giovanotto, appena arrivato, non aveva scordato di salire come un fulmine nella propria camera a spegnere il becco a gas che ardeva da ottanta giorni. E aveva trovato nella cassetta delle lettere una fattura della Compagnia del Gas per una somma astronomica.

"Era ora che mettessi fine a questo consumo di cui sarò l'unico responsabile!" sospirò il poverino accasciandosi su una sedia, con la nota fra le mani. Calò la notte. La signora Auda si era coricata, ma non riposò un solo istante. Nella camera di Sir Fogg la luce era spenta e tutto era silenzioso. Chissà però se il gentleman dormiva.

Davanti alla porta della camera, accucciato come un cane, Passepartout vegliò fino all'alba con l'orecchio teso in ascolto.

Il giorno dopo, di buon'ora, Sir Fogg chiamò il servo e gli raccomandò asciuttamente di occuparsi della colazione della signora Auda.

"Per me" soggiunse, "soltanto una tazza di tè e una fetta di pane tostato. Riferirete alla signora Auda che la prego di scusarmi se non sarò presente né a pranzo né a cena, dovendo rimanere occupatissimo a riassestare i miei affari. Verso sera le chiederò il permesso d'intrattenerla per pochi minuti: ho da parlarle."

Passepartout, conoscendo a puntino il famoso programma della giornata, non avrebbe avuto che da andarsene immediatamente a mettersi all'opera. E, invece, non si muoveva di lì; continuava a fis-

sare il suo padrone con uno sguardo strano da cui trapelava tanta angoscia. Sì!
Se avesse avvisato Sir Fogg, se gli avesse svelato i progetti di Fix, Sir Fogg non si sarebbe trascinato appresso il detective fino a Liverpool, e allora... Alla fine non seppe più contenersi e, gettandosi ai piedi del gentleman, scoppiò a piangere.
"Padrone mio, Sir Fogg, maleditemi! È stato per mia colpa che..."
"Io non accuso nessuno" rispose Phileas Fogg con voce perfettamente serena. "Andate."
Passepartout, un po' meno oppresso, lasciò la camera del padrone e si recò dalla signora Auda.
"Signora" aggiunse, "io non posso nulla da parte mia, nulla! Non ho alcuna influenza sul mio padrone. Voi forse..."
"Quale influenza potrei mai avere io?" rispose tristemente la giovane. "Sir Fogg non ne subisce da nessuno. Non ha forse mai nemmeno capito quanto sia profonda la mia riconoscenza verso di lui. Non ha letto nel mio cuore. Amico mio, mi raccomando a voi: non bisogna lasciarlo solo un istante! Voi dite che ha dichiarato l'intenzione di parlarmi stasera?"
"Sì, signora."
"Aspettiamo" sospirò la giovane. E rimase pensierosa.
La cosa più particolare che avvenne quel giorno fu che Phileas Fogg, per la prima volta in vita sua, pur essendo presente a Londra, non uscì di casa per recarsi al Club allo scoccare delle 11 e 30. E perché, del resto, avrebbe dovuto andarvi? I suoi colleghi certo non lo aspettavano più. Se allo scadere del 21 dicembre alle ore 20 e 45 Phileas Fogg non si era mostrato nel salone del Reform Club, per lui la scommessa era perduta. Non gli restava nemmeno la necessità di presentarsi ai banchieri Fratelli Baring per ritirare le ventimila sterline: i suoi avversari stessi vi avrebbero provveduto, poiché erano in possesso dell'assegno regolarmente firmato. Phileas Fogg non aveva perciò motivo per uscire. E non uscì. Rimase chiuso in camera tutto il giorno per mettere in ordine i suoi affari. Passepartout per tutto il giorno non trascurò di salire e scendere le scale, tornando a ogni momento vicino

a quell'uscio. Origliava, spiava dal buco della serratura, sentendosi più che giustificato in coscienza di non commettere con questo un'indiscrezione, viste le terribili circostanze: c'era da temere da un momento all'altro una catastrofe.

A volte, Passepartout si metteva a pensare a Fix, ma nel frattempo c'era stato un cambiamento nella sua valutazione. Aveva smesso di serbare rancore per l'ispettore di polizia. Fix si era sbagliato come tutti nei riguardi di Phileas Fogg e, pedinandolo e poi arrestandolo, non aveva fatto che il suo dovere, mentre invece lui... Questo pensiero lo tormentava ed egli si considerava l'ultimo dei miserabili. Questi amari pensieri opprimevano il povero domestico e lo facevano sentire talmente infelice che a volte non era nemmeno capace di restare solo. Allora bussava alla porta della signora Auda; entrava da lei e si sedeva in un angolo, senza aprire bocca, guardando la giovane sempre pensierosa.

Verso le 19 e 30 Phileas Fogg fece chiedere alla sua gentile ospite se poteva riceverlo. Pochi minuti dopo il gentleman era davanti alla signora Auda.

Sir Fogg prese una sedia e sedette accanto al caminetto, dirimpetto alla giovane donna. Il volto di lui non rifletteva alcuna emozione. Il signor Fogg ritornato dal lungo viaggio era il medesimo che era partito. Aveva la stessa calma e impassibilità.

"Signora" disse dopo un breve silenzio, guardando in volto la signora Auda e alzandosi, "mi perdonerete di avervi condotto in Europa?"

"Io, Sir Fogg?"

C'era un indicibile accento nelle parole della giovane indiana, ed ella comprimeva a fatica i battiti del cuore.

"Vogliate permettermi di finire" riprese il gentleman. "Allorché ebbi l'idea di portarvi lontana da quella terra pericolosa per voi, ero ricco e contavo di porre una parte della mia sostanza a vostra disposizione. La vostra esistenza sarebbe stata felice e libera. Ora io sono rovinato..."

"Lo so, signor Fogg" lo interruppe la giovane indiana con un sorriso infinitamente triste. "Perciò sono io che vi chiedo a mia volta: mi perdonerete di avervi seguito e, chi sa?, di avere forse, causandovi ritardo, contribuito alla vostra rovina?"

"Signora, voi non potevate assolutamente rimanere in India! La vostra salvezza non era assicurata se non in un luogo dove quei fanatici non potessero mai più riprendervi."
"Così, Sir Fogg, non contento di avermi strappata a una morte orribile, voi vi credevate anche obbligato ad assicurare la mia posizione in Europa?"
"Certo, signora" rispose il gentleman, inchinandosi lievemente. "Ma gli avvenimenti si sono volti contro di me. Tuttavia, del poco che mi rimane vi chiedo ancora di poter disporre a vostro favore."
"Ma voi, Sir Fogg, come farete?"
"Io, signora" rispose freddamente il gentleman, "non ho bisogno di nulla."
"Come? Ma avete riflettuto sulla sorte che vi aspetta?"
"Vi assicuro che ho fatto le mie riflessioni."
Auda tacque un istante, pensosa. Poi vivacemente soggiunse: "È vero che in ogni modo la miseria non potrebbe mai colpire un uomo come voi. I vostri amici..."
"Io non ho amici, signora"
"I vostri parenti..."
"Non ho più parenti."
"Vi compiango, allora, Sir Fogg. Oh, la solitudine è davvero una triste cosa! Ma, nemmeno un cuore amico avete, in cui deporre le vostre pene? Si dice che in due anche la miseria sia sopportabile."
"Lo dicono, signora."
La signora Auda si era alzata. Porse la bella bianca mano al gentleman. "Signor Fogg" disse, "volete accettare al tempo stesso una parente e un'amica? Volete accettarmi per moglie?"
Un riflesso insolito splendeva ora negli occhi di Phileas Fogg; c'era come un tremito nelle sue labbra mentre la signora Auda lo guardava. La sincerità, la fermezza soave e forte di quel bello sguardo di una nobile creatura che osa tutto per salvare colui a cui deve tutto, lo sorprese dapprima, quindi lo penetrò.
Phileas Fogg chiuse un istante gli occhi come per evitare che quello sguardo avanzasse di più nel suo cuore. Quando li riaprì, disse

semplicemente: “Io vi amo. Sì, in verità, per quanto c’è di più sacro al mondo, io vi amo! E sono il più felice degli uomini di poter congiungere il mio destino con il vostro”.
“Ah!” esclamò la signora Auda portandosi la mano al cuore.
Passepartout fu chiamato. Venne subito. Phileas Fogg teneva ancora fra le sue la mano della signora Auda. Passepartout capì. E la sua larga onesta faccia brillò come il sole allo zenit delle regioni tropicali. Sir Fogg gli chiese se non fosse troppo tardi per andare ad avvertire il reverendo Samuel Wilson, della parrocchia di Mary-le-Bone.
“Mai troppo tardi!” esclamò il francese, con un sorriso che valeva un perù. Erano le 20 e 05.
“La cerimonia sarà domani, lunedì!” disse Passepartout con solennità.
«Per domani, lunedì?» chiese compitamente Phileas Fogg, guardando la sua giovane fidanzata.
“Per domani, lunedì” confermò la signora Auda.
Passepartout uscì a gambe levate.

36 Phileas Fogg viene di nuovo accreditato sul mercato

È tempo di dire quale mutamento fosse avvenuto nell’opinione pubblica di Londra allorché circolò la notizia che il vero ladro della Banca d’Inghilterra – un certo James Strand – era stato arrestato a Edimburgo il 17 dicembre.
Alla vigilia di questa data, Phileas Fogg era ancora per tutti il delinquente che la polizia braccava intorno al globo. Adesso tornava a essere il più onorabile dei gentlemen, occupato a compiere matematicamente il suo eccentrico giro del mondo in ottanta giorni. Tutti i quotidiani ne parlavano. Tutti gli scommettitori pro e contro, che da tempo avevano abbandonato la speculazione, risuscitarono. Le scommesse, anzi, si centuplicavano. Il nome di Phileas Fogg veniva nuovamente

accreditato sul mercato. I cinque colleghi del gentleman, al Reform Club, passarono quei tre giorni dal 17 al 21 in vero orgasmo.
“Dove sarà Phileas Fogg a quest'ora?”
“Non ha mai più dato notizie di sé! E gli ottanta giorni stanno per spirare.”
“Che sia morto in viaggio?”
“Non pensiamoci neppure! Avrà piuttosto rinunciato all'impresa.”
“E se invece stesse continuando matematicamente il suo itinerario?... Non è ancora escluso che il 21, alle 20 e 45, ce lo vediamo comparire, come il dio della puntualità, sulla soglia del salone!”
Questa era la ridda delle idee che i banchieri John Sullivan e Samuel Fallentin, l'ingegnere Andrew Stuart, Walter Ralph, amministratore della Banca d'Inghilterra, e il birraio Thomas Flanagan agitavano senza tregua nelle loro menti e nelle loro discussioni. Intanto si erano lanciati dispacci in America e in Asia per avere notizie di Phileas Fogg. Si mandò mattina e sera a osservare la casa di Saville Row. Nulla! La polizia stessa non sapeva più che ne fosse stato del detective Fix, disgraziatamente gettatosi sopra una falsa pista.
Nella Borsa di Londra, a conclusione di tutto questo fermento d'attesa, le famose 'azioni' intitolate a Phileas Fogg erano tornate a circolare. E la loro quotazione saliva alle stelle.
Naturalissimo quindi che la sera del 21 dicembre una folla enorme affluisse in Pall Mall e nelle strade adiacenti al Reform Club. Ci volle la presenza d'una pattuglia di polizia per mantenere un po' d'ordine in quella calca.
Nel salone del Club, sprofondati entro le poltrone distribuite qua e là in ordine sparso, Sullivan, Fallentin, Ralph, Stuart e Flanagan aspettavano, gli occhi fissi sul quadrante del decorativo orologio a pendolo le cui lancette segnavano allora le 20 e 25 minuti.
“Signori: altri venti minuti, e il termine convenuto fra noi e Phileas Fogg sarà spirato!” disse a quel punto Andrew Stuart, alzandosi.
Una evidente emozione lo dominava.
“A che ora è giunto l'ultimo treno da Liverpool?” domandò Thomas Flanagan.

"Alle 19 e 23" rispose Walter Ralph. «E il treno successivo non arriva che a mezzanotte e dieci."

"Ebbene, signori: se Fogg fosse giunto col treno delle 19 e 23, sarebbe già qui. Possiamo considerare la scommessa come guadagnata!"

L'emozione tremava sempre più viva nella voce di Andrew Stuart, il quale aveva proferito solennemente queste parole.

"Aspettiamo; non pronunciamoci ancora" rispose Samuel Fallentin. "Voi sapete meglio di me che il nostro collega è un eccentrico di prim'ordine: il campione della puntualità, non arrivando né un minuto prima né un minuto dopo. Come ho già detto un'altra volta, non mi meraviglierei di vedercelo capitare davanti all'ultimo istante."

"E io, invece" ribatté Stuart al colmo del nervosismo, "quand'anche lo vedessi, non ci crederei!"

"Infatti" venne di rinforzo Thomas Flanagan, "il progetto di Sir Fogg era insensato. Per campione d'esattezza che egli sia, non avrà mai potuto impedire dei ritardi che in qualunque viaggio sono inevitabili! E anche il ritardo di un paio di giorni bastava a compromettere la sua impresa."

Ci fu un attimo di silenzio. Poi riparlò Sullivan. "Le cose devono senz'altro andare male al nostro collega. Io mi baso sul fatto che non ne abbiamo ricevuto la minima notizia: e sì che i fili telegrafici non mancavano sulla sua strada!"

"Phileas Fogg ha perso, signori! Vi ripeto che ha perso cento volte!" incalzò l'arrabbiato Andrew Stuart. "Voi sapete benissimo che il *China*, il solo piroscafo che egli avrebbe potuto prendere da New York a Liverpool per essere qui in tempo utile, è giunto ieri. Ebbene, eccovi la lista dei passeggeri, pubblicata sulla *Shipping Gazette*. Il nome di Phileas Fogg non vi figura. Siete convinti? Ammettendo tutte le più favorevoli combinazioni, a quest'ora il nostro amico è appena in America. Ritengo che avrà almeno venti giorni di ritardo sulla data convenuta, e altrettanto avverrà anche per le cinquemila sterline di Lord Albermale."

Walter Ralph terminò la frase del collega: "È evidente, e noi domani non avremo che da presentare ai banchieri Fratelli Baring l'assegno di Sir Phileas Fogg".

In quell'istante l'orologio del salone segnava le 20 e 40.
"Ancora cinque minuti" disse Andrew Stuart.
I gentlemen si guardavano. Ognuno cercava per quanto possibile di non lasciar trasparire troppo i battiti del proprio cuore. Erano dei giocatori, ma la posta in gioco era davvero molto alta! Ma non volevano darlo a vedere. Per darsi un contegno, su proposta di Samuel Fallentin presero posto con affettata indifferenza a un tavolo da gioco.
"Non cederei la mia parte di quattromila sterline sulla scommessa" disse Andrew Stuart, sedendosi, "a chi me ne offrisse in questo momento 3999!"
Erano le 20 e 42. I giocatori presero le carte. Ma involontariamente i loro occhi correvano al quadrante del pendolo. Per quanto grande fosse ormai per quei cinque gentiluomini la sicurezza di vincere, mai minuti parvero a essi più lunghi!
"Le 20 e 43" annunciò Flanagan, tagliando il mazzo che Ralph gli presentava.
Poi tacquero tutti. Nel salone del Club regnava un silenzio religioso.
Fuori invece c'era un sempre crescente clamore della folla.
Il pendolo scandiva i secondi con regolarità cronometrica.
"Le 20 e 44" disse Sullivan.
Un minuto ancora, e la scommessa era guadagnata. Andrew Stuart e i suoi colleghi non giocavano più. Avevano messo da parte le carte.
S'erano messi a contare i secondi!
Al quarantesimo minuto secondo, nessuno.
Al cinquantesimo, ancora nessuno!
Al cinquantacinquesimo minuto secondo si udì fuori della porta come un tuono.
Applausi, urrà, e anche delle imprecazioni, che andavano crescendo.
I cinque gentlemen si guardarono e si levarono in piedi.
Al cinquantasettesimo minuto secondo, la porta del salone si aprì.
E il pendolo non aveva ancora battuto il sessantesimo secondo che Phileas Fogg comparve sulla soglia seguito da una folla delirante la quale aveva forzato l'ingresso del Club.
Con voce calma il gentleman disse: "Eccomi, signori".

37 Si dà la prova che, facendo il giro del mondo, Phileas Fogg non ha guadagnato nulla, se non la felicità

Sì! Era proprio Phileas Fogg in persona.

I lettori ricorderanno che alle 20 e 5 della sera, venticinque ore circa dopo l'arrivo dei viaggiatori a Londra, Passepartout era stato incaricato dal suo padrone di avvertire il reverendo Samuel Wilson per un certo matrimonio che si doveva celebrare senz'altro l'indomani.

Il servo si era precipitato, contento come una pasqua, a fare l'ambasciata. E all'abitazione del reverendo aveva trovato che questi non era ancora rincasato. Naturalmente Passepartout attese. E gli toccò attendere almeno venti buoni minuti.

Insomma, erano le 20 e 25 quando egli uscì dalla casa del reverendo Samuel Wilson. Ma in quale stato! Scarmigliatissimo, senza cappello, correndo come non si è mai visto correre a memoria d'uomo, atterrando i passanti, precipitandosi sui marciapiedi come una tromba di ciclone. In tre minuti era di ritorno a Saville Row e piombava senza fiato nella camera di Sir Phileas Fogg.

Passepartout non riusciva a parlare.

"Che c'è?" gli chiese il gentleman.

"Padrone mio..." balbettò il giovane. "Matrimonio... impossibile."

"Impossibile?"

"Impossibile... per domani... E perché?"

"Perché domani... è domenica!"

"Lunedì" corresse il signor Fogg.

"No... oggi... sabato."

"Sabato?! Impossibile."

"Sì, sì, sì!" esclamò Passepartout. "Vi siete sbagliato di un giorno! Siamo giunti ventiquattr'ore prima... Ma non ci rimangono che dieci soli minuti!"

Passepartout aveva afferrato il suo padrone per il bavero e lo trascinava con una forza irresistibile.

Phileas Fogg, preso così d'assalto, senza aver il tempo di riflettere,

lasciò la sua camera, lasciò la casa, saltò in un cab, promise cento sterline al cocchiere, e dopo avere schiacciato due cani e urtato cinque carrozze giunse a Pall Mall davanti al Reform Club.
L'orologio scoccava le 20 e 45 quando egli compariva nel salone. Phileas Fogg aveva compiuto il giro del mondo in 80 giorni. Phileas Fogg aveva vinto la scommessa di ventimila sterline!
Occorrono delle spiegazioni.
Come mai un uomo così preciso aveva potuto commettere quell'errore d'un giorno nel computo del tempo? Come è che egli si credeva giunto a Londra il sabato sera 21 dicembre, mentre non era che il venerdì 20 dicembre, 79 giorni soltanto dopo la sua partenza?
Ecco la spiegazione di questo errore e che è molto semplice.
Phileas Fogg, senza neanche saperlo, aveva guadagnato un giorno sul suo itinerario: e ciò unicamente perché aveva fatto il giro del mondo andando verso est. Avrebbe invece perduto un giorno se fosse andato in senso contrario, ossia verso ovest. Infatti, andando verso est, Phileas Fogg camminava incontro al sole: e per conseguenza i giorni diminuivano per lui di tante volte quattro minuti quanti erano i gradi di latitudine che egli percorreva in quella direzione.
Ora, sulla circonferenza terrestre si contano 360 gradi: moltiplicando 360 per 4 minuti si hanno precisamente 24 ore, vale a dire un giorno, quel giorno inconsapevolmente guadagnato.
In altri termini: mentre Phileas Fogg viaggiando verso est aveva veduto il sole passare 80 volte al proprio meridiano, i suoi colleghi a Londra non lo avevano visto passare che 79 volte.
Ecco perché quel giorno che era sabato, e non la domenica come credeva Phileas Fogg, essi lo aspettavano nel salone del Club.
Ed ecco ciò che il famoso orologio di Passepartout, che era stato sempre mantenuto sull'ora di Londra, avrebbe dimostrato se, oltre ai minuti e alle ore, avesse segnato pure i giorni!
Phileas Fogg aveva dunque guadagnato ventimila sterline. Ma siccome strada facendo ne aveva spese circa diciannovemila, il risultato pecuniario era ben scarso. Si sa tuttavia che l'onorabilissimo gentleman aveva cercato in quella scommessa soltanto la lotta e la vittoria

sulle difficoltà, non già la ricchezza. Anzi, la somma del profitto egli la divise tra il fido servitore e l'infelicissimo Fix a cui era incapace di serbare rancore. Soltanto per regolarità, Phileas Fogg trattenne a Passepartout il costo delle 1920 ore di gas consumato per sua colpa.
Quella stessa sera il signor Fogg, sempre impassibile e flemmatico, disse alla signora Auda: "Il nostro matrimonio vi conviene ancora, signora?"
"Sir Fogg, tocca a me farvi questa domanda. Voi eravate rovinato; ora siete ricco..."
"Scusatemi: la mia ricchezza vi appartiene! Se voi non aveste avuto il pensiero di questo matrimonio, il mio servo non sarebbe andato dal reverendo Wilson, io non sarei stato avvertito dell'errore. E..."
"Caro Sir Fogg" disse la giovane.
"Cara Auda" rispose Phileas Fogg.
Non occorre aggiungere che il matrimonio si celebrò quarantotto ore dopo. Passepartout, superbo, raggiante, abbagliante, vi figurò come testimone della sposa. Non l'aveva salvata lui? Questo onore gli era dovuto.
L'indomani prima dell'alba il servo bussava con fracasso alla porta della camera del suo padrone. La porta venne aperta e Phileas Fogg flemmatico comparve.
"Che c'è, Passepartout?"
"C'è... c'è, signore... Sono venuto a sapere or ora..."
"Che cosa?"
"Che potevamo compiere il giro del mondo in 78 giorni soltanto!"
"Senza dubbio: non attraversando l'India" confermò il signor Fogg.
"Ma se non avessimo attraversato l'India, non avremmo salvato la signora Auda; essa non sarebbe divenuta mia moglie, e..."
E Sir Fogg richiuse tranquillamente la porta.
Così, dunque, Phileas Fogg aveva vinto la sua scommessa. Aveva compiuto in ottanta giorni un giro completo del mondo!
Per portarlo a termine aveva utilizzato tutti i mezzi di trasporto: piroscafi, ferrovie, carrozze, yachts, navi da carico, slitte, elefanti.
L'eccentrico gentleman aveva svelato in questo affare le sue meravi-

gliose qualità di sangue freddo e di precisione. Ma in seguito? Che cosa aveva guadagnato con tutto quel movimento? Che cosa si era portato indietro da quel lungo viaggio?

"Niente" forse dirà qualcuno. Sì, niente, al di fuori di una donna attraente la quale – per quanto la cosa possa sembrare inverosimile – lo rendeva il più felice degli uomini!

E in verità, non si farebbe volentieri anche per meno di questo l'intero Giro del Mondo?

Indice